10
18

12, AVENUE D'ITALIE. PARIS XIIIe

Sur l'auteur

Depuis *Son frère*, publié en 2001 et adapté dans la foulée par le réalisateur Patrice Chéreau, Philippe Besson, auteur d'une douzaine de romans dont *L'Arrière-Saison*, *Une bonne raison de se tuer* et *De là, on voit la mer*, est devenu un des auteurs incontournables de sa génération. Il a par ailleurs écrit le scénario de *Mourir d'aimer* (2009), interprété par Muriel Robin, de *La Mauvaise Rencontre* (2010) avec Jeanne Moreau, et de *Nos retrouvailles* (2012) avec Fanny Ardant. Après *La Maison atlantique*, il signe son nouveau roman, *Vivre vite*, aux éditions Julliard.

PHILIPPE BESSON

LA MAISON ATLANTIQUE

JULLIARD

Du même auteur
aux Éditions 10/18

ISBN 978-2-264-06476-9

À la mémoire de mon père
qui, lui, fut un homme admirable.

« Voici que vient l'été la saison violente
Et ma jeunesse est morte ainsi que le printemps. »

Guillaume APOLLINAIRE

1

Je suis orphelin, ce sont des choses qui arrivent.

À moi, il se trouve que c'est arrivé très tôt.

J'avais seize ans quand j'ai perdu ma mère, dix-huit lorsque mon père est parti. On pourrait parler de terrible malchance, de sort qui s'acharne. Oui, peut-être.

On pourrait me plaindre aussi. Je n'en demande pas tant. Et, de toute façon, la compassion n'est pas mon genre.

Je sais ce que vous pensez : je devrais montrer du chagrin. Plutôt que ça, cette froideur apparente. Ce détachement. J'en ai du chagrin, n'allez pas croire. Il me semble même que c'est lui qui a provoqué toute l'histoire.

J'ai oublié de vous dire : aucune de ces deux morts n'est accidentelle.

2

Par où commencer ?

Le plus simple, c'est probablement de raconter ce qui est arrivé cet été-là, dans la maison atlantique.

Moi, je ne voulais pas y aller. Mais alors pas du tout.

Pourtant, j'avais fini par céder.

Pour une seule raison, la pire quand j'y pense : cette virée estivale était supposée sceller la réconciliation, ou au moins le rapprochement avec mon père. Enfin, nous allions nous retrouver, lui et moi, en tête à tête, d'homme à homme. Et tenter d'aplanir nos différends. « Repartir du bon pied », comme il l'avait programmé lui-même, avec une de ces expressions toutes faites que je déteste.

J'aurais préféré, et de loin, partir avec mes camarades de lycée, dans des campings improbables ou des villas prêtées par des connaissances lointaines dont aucun de nous n'avait jamais entendu parler. Nous venions de décrocher notre bac, nous ne nous reverrions plus, séparés par nos orientations respectives et par la conscience implicite qu'avec ce fameux sésame inutile, c'était tout un pan de notre vie qui se détachait. Ce qui nous attendait était forcément neuf et se jouerait avec des visages et des corps différents. Ce dernier plaisir m'a été refusé. L'insistance de mon père a été trop forte. Et puis, je me suis laissé emporter par un vieux fond de culpabilité. Je jure qu'on ne m'y reprendra plus.

J'allais recevoir, en un écho lointain, des nouvelles de ceux-là qui avaient échappé à leurs obligations familiales et paraissaient s'amuser follement la journée au bord de piscines privées et la nuit dans ces boîtes glauques qui font le charme des provinces et qui s'appellent « Le Paradise » ou « L'Excalibur ». Me parviendraient les rires amortis et insouciants de mes amis, leurs sommeils tardifs, leurs baisers furtifs, leurs escapades sans gloire, leurs ivresses obstinées tandis que je n'aurais droit qu'à une oisiveté poisseuse.

Je me considérais comme privé d'un morceau de ma jeunesse, j'allais répétant que je paierais toute ma vie le prix de cette amputation, certain de nourrir le regret éternel de cette frivolité dont on me dépossédait. Bref, je faisais la gueule, en me demandant encore comment j'avais pu accepter un marché aussi peu équitable.

Il y a autre chose. Autre chose à propos de la maison atlantique (et de mes réticences). Trop de mauvais souvenirs y étaient associés. Des blessures encore à vif. Une absence trop lourde à porter.

3

La maison, justement. Il faut que j'en parle.

Oui, c'est important, tout de même. C'est là que tout s'est noué puis dénoué.

Sur l'acte notarié, il est mentionné qu'elle a été construite en 1919. L'acte, si je l'évoque, c'est parce que je l'ai tenu entre les mains au moment où il a fallu régler la succession, lorsque j'ai cessé d'être un fils pour devenir un héritier. Curieusement, je n'ai pas oublié l'air las du notaire, l'impression qu'il donnait d'expédier des affaires courantes. Je crois qu'il n'a même pas remarqué mon indifférence. Je l'avais beaucoup travaillée, pourtant, cette indifférence. Elle ne faisait pas le poids face à la sienne.

Donc 1919. L'immédiat après-guerre. On construit. La vie doit reprendre le dessus, je suppose. Sur le littoral, des villas surgissent comme des champignons. Alignées face à la mer.

La nôtre ressemble à toutes les autres. Étroite, délimitée par un toit en triangle très prononcé, les murs sont recouverts à la chaux blanche, les volets de bois sont peints en bleu. Une terrasse à l'avant, une autre à l'arrière et un jardin. L'élément idéal d'un décor balnéaire.

Elle porte un nom : « Stella Maris ». J'ai mis des années à savoir que cela signifiait « étoile de mer ». Je n'ai pas appris le latin à l'école. Je n'ai jamais cherché le sens des mots.

Elle est « entrée » dans notre famille sur un coup de chance transformé aussitôt en coup de tête, à la suite d'une main heureuse de mon grand-père au poker. La lubie d'un flambeur qui s'offre, sans en avoir jamais vraiment rêvé, une maison « sur la côte ».

Je conserve cette image de lui : il est assez vieux, il roule dans un bolide décapotable, il fait le malin sur la route de la corniche, ma mère est assise à ses côtés, elle le contemple avec une admiration qui ne s'est jamais démentie, moi je suis installé à l'arrière et j'ai peur, la vitesse me fait peur. Mon grand-père est mort peu de temps après. Une attaque cardiaque à la table d'un casino. Un décès instantané, parfait. Une fin de roman, dont il aurait raffolé. Ma mère a hérité de la maison. Elle était fille unique.

Aussitôt, une autre image se superpose. Ma mère ouvre grands les volets, les fenêtres. Par la baie vitrée, elle laisse entrer la bonne odeur du jardin dans la véranda, et jusque dans le salon ; et le soleil. Elle nettoie à grandes eaux les pavés blancs de la terrasse. Et puis, elle va acheter du vin, et des fruits. Je dois avoir huit ans.

Oui, il y a eu ça, dans l'enfance, quelques étés heureux, insouciants, dans la maison atlantique. Je suis certain que ça s'est produit. Même si je ne m'en souviens pas aussi bien que je le voudrais.

4

On est arrivés le 4 juillet. C'était un samedi.
Des rafales de vent balayaient la plage. Les voisins nous ont aussitôt expliqué qu'il pleuvait depuis deux semaines sans discontinuer. J'ai pensé : ça commence bien.

On s'est faufilés dans la villa obscure. L'odeur de renfermé mélangée à l'humidité m'a sauté aux narines. Tandis que mon père fouillait dans l'armoire de l'entrée pour rallumer le compteur électrique, je me suis dirigé vers la baie dans le but de faire coulisser le rideau. Lorsque le jour est enfin apparu, j'ai vu la pluie s'écraser en gouttes lourdes sur le carreau, et sur les roses trémières secouées, et aussi sur les branches du noyer, à l'arrière de la maison. Un spectacle désolant. Dans mon dos, mon père s'efforçait d'adopter un ton enjoué, qui sonnait atrocement faux.

Je me suis rappelé que ma mère préférait la ville en automne. Elle aimait les feuilles mortes piétinées sur les trottoirs, les rues désertes, le sable humide, les eaux sombres. Elle disait : « C'est vraiment beau, une cité maritime que les touristes ont abandonnée. Beau et déchirant. » À ce moment-là, elle n'allait pas bien du tout.

Avant même d'aller déposer mes bagages dans ma chambre, j'ai mis un peu de musique ; et je dois reconnaître que la voix de Rufus Wainwright dans les pièces inoccupées depuis des mois a produit un écho sinistre.

Mon père m'a adressé un regard noir qui semblait signifier : inutile d'aggraver les choses, ça ne m'a pas échappé que tu fais ta mauvaise tête, mais tes initiatives à la con sont franchement ridicules.

Me sentant vaguement penaud, je me suis écroulé dans le canapé du salon. J'ai allumé une cigarette pour tenter d'apaiser mon agacement et exciter le sien. Il s'est forcé à ne me faire aucune remarque mais, dans sa désolation, j'ai aperçu tous les espoirs qu'il avait placés en moi et que je décevais avec une constance exemplaire.

La pluie a cessé au milieu de l'après-midi. Je suis allé marcher sur la plage avec l'intention de me dégourdir les jambes. Le sable collait à mes chaussures.

J'ai vu les parasols refermés, dégouttant, le comptoir de glaces désert, les familles entassées dans les crêperies. Et puis, la façade désuète du casino s'est dessinée, au fil de ma promenade au ralenti. Et je n'ai pas réussi à réprimer une tristesse rance.

Je suis monté sur la dune et j'ai pissé dans le vent.

5

Il y a des hommes qui ont tout pour eux. Mon père était de ceux-là.

Vous auriez dû le voir. Fière allure. Les cheveux poivre et sel. Svelte, comme on l'est quand on s'entretient dans les salles de sport. Des costumes de bonne coupe, à l'élégance sobre, sans tape-à-l'œil. Tout minutieusement étudié. Tout pensé dans le moindre détail. Les femmes, comment auraient-elles résisté ?

Et elles ont été nombreuses, à traverser sa vie. Un défilé qui s'apparentait, selon l'endroit où on se plaçait, à un tourbillon joyeux ou à une mascarade obscène.

Pendant longtemps, je me suis efforcé de ne pas le juger. Je ne voulais pas être taxé de puritanisme. Je ne connaissais pas le mot, je l'utilise après coup. Simplement, je sentais confusément qu'une lecture moralisante des actes d'autrui était à bannir. Ou bien c'est précisément le comportement frivole de mon père qui me conduisait à récuser toute pensée prude, sectaire. En somme, j'étais le résultat d'une éducation permissive, sans véritablement le savoir.

Puisque le temps a passé, et que l'heure est venue de solder les comptes, je peux bien l'avouer aujourd'hui : ses épanchements continuels constituaient une source d'embarras. Et surtout, surtout, la souffrance invisible et néanmoins profonde qu'ils infligeaient à ma mère alimentait mon ressentiment à l'endroit d'un type qui se croyait tout permis, et dont l'égoïsme paraissait sans limites.

Je ne lui ressemble pas.

Non, je n'ai rien de lui.

Faites le test : placez deux photos côte à côte, l'une de lui, l'autre de moi. Vous ne dénicherez quasiment aucune affinité, aucune conformité. À se demander si nous sommes réellement père et fils. Mes yeux sont aussi sombres que les siens étaient clairs. Mes cheveux aussi ébouriffés que les siens étaient lissés vers l'arrière. L'arête du nez, rien à voir. La bouche, non plus. La sienne était lourde et sensuelle, la mienne est mince, on dirait une cicatrice d'appendicite.

Plus d'une fois, au cours de l'adolescence, je me suis demandé s'il était vraiment mon géniteur. Je n'ai jamais posé la question parce que c'eût été remettre en cause la probité de ma mère. Pourtant, l'interrogation m'a taraudé. Certains jours, elle me faisait horreur, elle était comme une tache posée sur les jeunes années de ce couple à l'apparence irréprochable, comme une honte dissimulée, un péché originel. Certains autres jours, elle m'enchantait. Je me plaisais à être l'enfant d'un inconnu, un accident, ou le fruit d'une passion fugace. Je me plaisais surtout à m'imaginer hurlant à mon père : « Tu n'es pas mon père. »

Mon visage est le décalque de celui de ma mère. La douceur en moins.

6

Je me souviens mal des premiers jours.

Je sais simplement que l'ennui est advenu très vite.

Le matin, je me levais très tard, lézardant dans ma chambre, englué dans des demi-sommeils. Le soleil enfin réapparu filtrait à travers les rideaux et déposait un peu de jaune sur le parquet, sur les draps. Mes vêtements débordaient de mon sac de sport, des caleçons et des chaussettes traînaient un peu partout. J'avais reconstitué, sans m'en rendre compte, le désordre de l'appartement parisien. Je cherchais inconsciemment à renouer avec un décor familier, pour ne pas me croire prisonnier de cet exil maritime.

Dans le lit, un casque vissé à mes oreilles, j'écoutais les chansons du moment, en feuilletant de vieilles BD dont les pages étaient moisies ou gondolées. C'étaient des moments d'une inutilité très pure.

Je finissais par descendre nonchalamment l'escalier, qui craquait sous mes pas et dont une marche était particulièrement traîtresse, et je pointais le bout de mon nez à la cuisine. Le plus souvent, mon père se trouvait déjà dehors, penché sur de la paperasse étalée sur la table de jardin, ou pendu au téléphone. Combien de fois l'ai-je vu négocier des contrats, exiger des corrections, des amendements, et ce dans une langue qui m'était totalement étrangère, celle des affaires ?

Mon petit déjeuner, je le prenais seul. En guise de retrouvailles, je n'avais droit qu'à un partage d'espace. Nous occupions un même lieu, lui et moi, mais nous menions deux existences séparées.

Je filais sous la douche et pouvais y passer un temps interminable. Mon père finissait invariablement par tambouriner à la porte en me commandant de mettre un terme à mes ablutions. Me soupçonnait-il de me masturber ? Ne comprenait-il pas que je ressentais le besoin de me laver, de me débarrasser le corps de la pollution qui l'envahissait, de perdre jusqu'à la dernière des aspérités ?

Le reste du temps, je me rendais à la plage, où les familles m'exaspéraient (horreur de ces regroupements festifs, en forme d'images pieuses, horreur de ces agglutinations qu'on nous donne pour modèles). Alors j'enfourchais un vélo pour filer à la ville. Sur le port, les cafés alignés procuraient, le temps d'un après-midi, l'illusion d'une agitation. Face aux tours médiévales, j'avalais des bières, qui me laissaient dans la bouche un goût amer et dans le regard un léger trouble.

Je ne lisais pas les journaux, refusant d'être atteint en quoi que ce soit par les rumeurs du monde et les soubresauts de l'actualité. Les heures s'égrenaient dans une vacuité remarquable. Je menais et remportais un combat douteux contre l'intelligence.

7

Je me suis souvent interrogé sur le choix de mon père.

Pourquoi cette maison ?

Il aurait pu choisir n'importe quel autre endroit. L'un de ces palaces de la Côte d'Azur où il adorait se pavaner, par exemple. Ou bien la longère qu'il faisait semblant de retaper depuis des années en Normandie. L'argent n'avait jamais été une difficulté pour lui et les agences de voyages regorgent de destinations exotiques. Mais non. Il a opté pour le lieu des souvenirs. Là où planait évidemment le fantôme de ma mère.

Était-ce de la cruauté de sa part ? Il l'aurait nié. Cependant, il s'y entendait comme personne pour commettre ces actes apparemment anodins qui sont plus blessants que les agressions les plus explicites (il s'était maintes fois révélé expert en méchancetés minuscules).

Ou bien souhaitait-il renouer avec les jours joyeux de l'enfance ? Mais qu'en savait-il, de ces jours-là ? Il n'était jamais auprès de nous, trop occupé à jongler avec les millions et les décalages horaires. Il ne m'avait pas vu grandir.

Avait-il été saisi d'un remords tardif ? Avait-il pour projet de demander pardon pour ses innombrables défections ? Je l'imagine mal. La contrition n'était pas dans sa nature.

La vérité est probablement plus prosaïque : il n'a pas réfléchi, il est allé au plus simple, au plus court, traitant ce sujet entre deux portes, deux rendez-vous, il a répondu au hasard à sa secrétaire qui le questionnait, parce qu'elle devait s'occuper des billets, des réservations, parce que le temps pressait.

Il a dû penser : le petit a ses habitudes là-bas, ses repères. Il a accompli ses premiers pas dans le jardin, usé ses guêtres sur le carrelage râpeux de la terrasse, il a appris à nager dans ces eaux-là, les commerçants l'ont vu grandir, eux, il s'agit d'un terrain familier pour lui. Peut-être s'est-il souvenu que j'ai pris mes premières leçons sur les courts de tennis, de l'autre côté de la ligne de chemin de fer. J'en doute, néanmoins. Il n'est jamais venu me voir jouer.

Et puis, la ville est située à une poignée d'heures de Paris, en TGV. Si survenait une urgence, il serait facile de rentrer. Oui, c'est le côté pratique qui l'a emporté, j'en suis convaincu. Il ne s'est pas rendu compte de ce qu'il faisait, du mal qu'il me faisait.

Sinon, comment expliquer qu'il m'ait demandé de passer quatre semaines dans la maison où ma mère est morte ?

8

Si, je sais : pendant les premiers jours, je suis retourné sur mes pas.

Ou sur les siens.

D'abord, je me suis rendu au phare. J'ai toujours aimé m'en approcher en fixant des yeux son sommet. J'ai alors l'impression que l'étrange édifice se meut lentement, découpé dans le bleu du ciel. Que son centre de gravité se déplace. Que le bloc de granit perd sa pesanteur, gagne en légèreté. Combien de marins sont-ils rentrés au port, guidés par son signal ?

Au pied du phare, on a construit une anse, un cercle de rochers qu'on croirait déposés délicatement à la surface de la mer. Quand j'étais petit, j'en faisais souvent le tour, en équilibre instable sur les pierres glissantes, les bras battant l'air, ce qui ne manquait pas d'angoisser ma mère. Je me rappelle que ce jour-là des garçonnets marchaient sur l'eau, en riant, en criant. Certaines choses sont immuables.

Et puis, j'ai traîné près du vieil embarcadère, désormais laissé à l'abandon. Même au plus fort de la saison, il ne vient plus grand monde. Les vacanciers fuient ce bout de plage, ponctué de galets et de varech, ils ont l'impression que les nappes de fuel dégagées par les anciens bacs n'ont pas tout à fait disparu. Moi, j'affectionne le bois pourri, le fer rouillé.

J'ai dû faire un crochet par le port, où les bateaux de plaisance ressemblent à des cocottes en papier échouées sur la vase lorsque la marée est basse, où les mâts font entendre un tintement étrange lorsqu'elle est haute. J'ai pensé à ceux qui prennent le large, pour de bon, ceux dont le visage est strié de rides et dont le regard a quelque chose d'inaccessible.

Là, j'ai vu des enfants, un cornet de glace à la main, les doigts collants parce que ça dégouline, le cou tordu pour ne rien perdre. Au Grand Café, on ne sert plus ces coupes gigantesques de toutes les couleurs, éclairées de minuscules feux d'artifice et ponctuées de parasols en papier froissé. C'est désormais un simple comptoir où s'agglutinent les touristes (heureusement, le goût est intact).

Plus loin, j'ai remarqué qu'on avait refait la petite place, installé de jolis pavés pour embellir les trottoirs. Le Café du Commerce, lui-même, avait été repeint de frais. Ma mère m'y emmenait souvent, le soir. Nous dînions d'huîtres et de vin blanc. Ou plutôt elle me laissait tremper mes lèvres dans son verre. Quand nous rentrions, elle disait que la tête lui tournait. Cette expression me faisait penser à une toupie. Parfois, on ne se rend pas du tout compte que les gens se noient devant nos yeux.

Oui, je suppose que j'ai tenté de renouer avec les années d'avant, dans une bouffée de nostalgie qui aurait pu sembler curieuse chez un jeune homme de dix-huit ans. Au fond, très vite, dans ma vie, j'ai deviné que le passé ne cesserait de me hanter.

9

Mes parents ont divorcé alors que j'avais quinze ans. Si je suis parfaitement honnête, je dois avouer que les choses entre eux se sont dégradées bien avant que la séparation ne devienne officielle.

D'abord il y a eu des agacements, des fatigues, des soupirs, des silences trop longs, des portes refermées. Ensuite sont venues les phrases blessantes, les explications orageuses, les brouilles répétées, les incompréhensions qu'on ne cherche même plus à surmonter.

Et puis les retours tardifs de mon père, ses absences de plus en plus fréquentes. Les absences sont devenues des disparitions que ma mère ne parvenait plus à expliquer. À mes questions insistantes, elle répondait de manière de plus en plus évasive. Au point que j'ai fini par renoncer aux questions. J'avais compris.

Je ne sais plus, en revanche, quand j'ai compris, pour ses infidélités. Je sais qu'il m'a fallu du temps. En réalité, je ne parvenais pas à concevoir d'autres femmes. C'était, de ma part, véritablement, un défaut d'imagination. Puisque je ne voyais pas ces femmes, elles n'existaient pas. Et, de toute façon, le monde se résumait à mes parents, à eux deux.

Est-ce qu'un jour j'ai surpris le nom de l'une d'entre elles dans une conversation ? Y a-t-il eu un parfum étranger ? Un courrier indiscret ? Un mensonge trop gros à avaler ? Je l'ignore. C'est comme un black-out, un déni. Pourtant, cette affreuse vérité a fini par s'insinuer dans mon esprit et, lorsque je l'ai détectée, c'était trop tard, elle avait tout envahi, impossible de la chasser. Une tumeur proliférante.

J'ai vu la tristesse infinie de ma mère. Ses abattements soudains rattrapés par un élan de dignité. Son inconsolable chagrin masqué par le souci de sauver les apparences. Son humiliation endurée dans le but de faire tenir ce mariage le plus longtemps possible. Sa mélancolie devant pareil délitement. Je l'ai vue se consumer lentement mais implacablement. Et je n'ai rien fait.

Pendant ce temps-là, mon père multipliait les conquêtes, Dom Juan insensible au mal qu'il causait, hédoniste revendiqué, se complaisant dans l'hypocrisie et la mystification. Il était le bourreau, elle était la victime, ça ne faisait pas de doute pour moi.

Ma mère a succombé à une surdose de médicaments. Le médecin a conclu à un accident, à une erreur tragique, rendue possible par une trop grande dépendance, ou par une perte temporaire de sa conscience. La police, de son côté, a refusé de considérer son geste comme un suicide. La preuve en était qu'elle n'avait laissé aucune lettre, pour personne. Mon père s'est contenté de cette version, qui l'arrangeait bien.

Moi, je n'ai rien dit.

10

Non, je n'ai rien dit.

Je me suis forcé à ne pas desserrer les lèvres.

Je ne sais pas énoncer précisément ce qui a étouffé ma colère. À l'adolescence, d'ordinaire, on ne contient pas ses fureurs. On les exprime. Même dans le désordre, même en se montrant injuste. Même de façon théâtrale. On est dans la véhémence. Sans se soucier de renverser les tables. De causer des dégâts. L'important, c'est de dire, d'expulser. Moi, j'ai tout gardé à l'intérieur. Tout comprimé. Comme si je pressentais qu'il adviendrait nécessairement un moment, une circonstance, une occasion où l'éclatement de cette colère provoquerait les plus grands dommages, des dommages irréversibles.

Dans l'intervalle, j'ai appris à vivre avec une morte.

Voilà la chose la plus difficile : apprendre à vivre avec ses disparus. Les ranger dans une boîte afin qu'ils deviennent des souvenirs. Les tenir à distance pour qu'ils cessent de nous heurter. Les aimer infiniment pour ne pas être dévoré par le manque. Faire de cette pensée douloureuse une pensée calme.

Passer de la douleur brute à la douceur fragile. Cela demande du temps, et de la persévérance. Je me savais capable de patience. J'ai découvert l'endurance.

Les premières heures dans la maison débarrassée de son corps ont été effroyables. Je me tenais assis sur le canapé, les jambes écartées, la tête renversée en arrière, les yeux dirigés vers le plafond. Dans mon esprit se télescopaient les images des pilules éparses sur le plancher, du bras pendant dans le vide sur le rebord du lit, de sa chevelure en désordre sur l'oreiller, de la vie arrêtée. Et puis je ne parvenais pas à oublier l'anarchie qui avait suivi : les pas précipités dans l'escalier, la sirène des pompiers, la pâleur du médecin, l'embarras des gendarmes, la descente de la civière, cette incohérence, ce gâchis, ce scandale. Enfin c'est le grand silence d'après qui m'avait dégoûté. On m'avait conseillé de ne pas rester seul. J'avais chassé tout le monde. Une femme était réapparue et avait simplement dit : « Nous avons réussi à prévenir votre père, il arrive, ça vous fera du bien. » Et j'avais éclaté de rire. J'étais parti d'un rire énorme, sardonique, lugubre. La femme était restée interdite, avant de s'effacer. Le silence s'était fait, à nouveau. Plus dense que jamais. Tout plein de l'écho de mon rire sinistre et vengeur.

Oui, le plus difficile est d'apprendre à vivre avec ses disparus.

Mais quand on a appris, alors on est imbattable.

11

C'est au quatrième jour qu'a été provoquée une tentative de dialogue.

Mon père, gorge raclée, s'est approché de moi tandis que je laissais ma peau brunir, étendu sur un des bains de soleil du jardin. Écouteurs plantés dans les oreilles, je tentais d'échapper à la géographie, à l'enracinement. C'est la disparition de la sensation de la lumière chaude sur mon corps qui m'a fait deviner sa présence. J'ai rouvert les yeux et aperçu qu'il articulait une question. Retirant mes écouteurs, en un geste précipité et probablement agacé, je l'ai entendu me proposer d'aller déjeuner « sur l'île ».

L'île, ce fantasme, juste en face. Un caillou détaché du littoral. Quelques kilomètres carrés qui font accourir les riches. Les joyeuses files de caravanes de mon enfance y ont disparu depuis longtemps. Elles ont cédé la place au défilé des 4 × 4 et des coupés sport. Les campings ont abdiqué. Désormais, des demeures cachées derrière des pins parasols et protégées par des caméras et des grilles occupent l'espace. Les bars-tabacs ont fermé. Des lounges les ont remplacés. Plus de bobs Paul Ricard ni de parties de pétanque, mais des tee-shirts

Agnès b. et des voiliers amarrés aux ports de plaisance. L'île, ce rêve frelaté. J'ai dit : « Oui, pourquoi pas ? »

Nous nous sommes attablés en terrasse, dans un des restaurants chic de la pointe ouest. Mon père a commandé pour nous deux sans même jeter un coup d'œil à la carte. Il tenait visiblement à se comporter en vieil habitué. Et tout à coup, l'évidence m'a frappé : j'ai mieux saisi pourquoi il n'avait jamais aimé la maison atlantique. Elle lui faisait honte. Pour un type comme lui, de son standing, seule une propriété sur l'île était acceptable. Toute autre situation constituait une humiliation, était synonyme de déclassement.

D'ailleurs, ça n'a pas tardé. Il a attaqué bille en tête. « Tu ne crois pas qu'on devrait vendre Stella Maris (il ne savait pas la nommer autrement, sans doute pour lui conférer le lustre qu'elle ne possédait pas) ? Et on achèterait quelque chose ici. »

J'ai répondu du tac au tac. « Cette maison, c'est celle de maman. Il n'est pas question qu'on s'en sépare. » Fin de la discussion.

Le reste du déjeuner s'est consumé dans des considérations sans importance, des remarques tombées à plat, des mutismes pesants, des regards détournés et des bruits de fourchettes.

Au moment où les cafés nous ont été servis, une jeune femme, habillée de blanc, s'est assise à la table qui jouxtait la nôtre. Elle a aussitôt accaparé l'attention de mon père. J'ai cessé d'exister. Cet effacement ne m'a pas dérangé. De toute façon, avais-je jamais existé pour lui ?

12

Le jeudi, j'ai rencontré Agathe.

Les filles, je leur plaisais plutôt, je crois.

Ça tenait à ma nonchalance. En tout cas, c'est ce qu'elles prétendaient.

J'étais du genre à marcher lentement dans la rue, sans regarder personne, ou alors par terre, les lacets de mes Converse défaits, les mains dans les poches d'un jean déchiré. En général, on voyait la marque de mon boxer qui dépassait. Je portais des tee-shirts délavés qui soulignaient ma maigreur ou des chemises blanches qui s'ouvraient sur un torse décharné. Très maîtrisé, le look ; il ne faut pas croire.

Même si j'affichais un air assez détaché, j'étais traversé par les préoccupations élémentaires de tous les garçons de mon âge : coucher avec des filles.

J'avais découvert le sexe deux ans plus tôt, avec une étudiante de la Sorbonne, en deuxième année de langues orientales. Un dépucelage raté, autant l'avouer. Mais ce qui comptait évidemment, c'était d'avoir perdu ma virginité. Et de pouvoir le raconter.

Les fois d'après, je m'étais amélioré. Il y a des gestes qui s'apprennent. Même la maladresse, ça se perfectionne. J'étais devenu expert en maladresse. C'est un truc imparable.

Je fanfaronne, mais, en réalité, je n'en menais pas large. J'étais comme tout le monde : désireux de plaire, soucieux de ne pas passer à côté des années de la jeunesse, faussement désinvolte, régulièrement compulsif, souvent contraint à la disette et à la masturbation, mais, à la fin, pas mécontent de moi puisque je connaissais des cas plus désespérés que le mien.

Agathe s'est approchée tandis que je composais frénétiquement sur mon téléphone, assis sur un muret au bord de la plage, des messages à destination de ceux qui s'amusaient loin des pesanteurs paternelles. Je ne l'ai donc pas vue venir. Lorsque j'ai relevé la tête, sa silhouette se découpait dans le soleil. Son visage était en contre-jour. Je n'aurais pas pu certifier qu'elle était jolie.

Elle a juste dit : « Ça fait un quart d'heure que je te regarde et un quart d'heure que tu ne me regardes pas. » J'ai immédiatement pensé qu'elle avait sacrément travaillé sa phrase d'introduction. Elle a demandé si elle pouvait s'asseoir et je n'avais pas répondu oui quand elle s'est effectivement exécutée.

D'ordinaire, je n'aime pas trop les filles intrusives, mais celle-là, sans que je sache pourquoi, m'a plu immédiatement. Elle a ajouté, avec une niaiserie que j'ai espérée volontaire : « J'adore tes grains de beauté. » Il n'en fallait pas davantage pour me convaincre de céder à ses charmes que je découvrais enfin, maintenant qu'elle ne se trouvait plus en contre-jour.

J'ai cru, un instant, que ces vacances échapperaient peut-être au complet désastre.

13

Je suis entré dans cette relation avec une désarmante facilité. Pas d'hésitation. Pas de fausse galanterie. Pas de délai de décence. Le désir l'a emporté sur toute autre considération. Et puis, c'étaient les vacances. Le temps nous était compté. Les sentiments étaient secondaires. Les dunes ont accueilli sans tarder l'entremêlement des corps. Les porches ont abrité les baisers voraces. Agathe se trouvait dans les mêmes dispositions que moi. Tout de suite, j'ai raffolé de sa peau douce et caramélisée, de ses épaules nues, de son rire mutin. Tout de suite, elle a compté mes grains de beauté.

Après coup, je me suis rendu compte que nous sommes allés trop vite en besogne et que les conséquences en ont été fâcheuses. S'il m'avait fallu déployer l'énergie de la conquête, mon attention aurait été détournée. Si j'avais dû me battre et patienter avant d'obtenir le fameux sésame, je me serais pour de bon éloigné de l'atmosphère délétère de la maison. Si j'avais accordé de l'importance à ce qui survenait entre elle et moi, j'aurais occulté mon père. Si j'avais éprouvé la morsure du manque, dès que je cessais de la toucher, je me serais coupé du théâtre d'ombres et de fantômes où ces vacances m'avaient malgré moi précipité. Si j'avais été amoureux, j'aurais été moins disponible pour la haine. Les choses ne se sont pas passées comme ça, voilà.

La preuve, il ne me reste pas grand-chose de cette aventure, sinon des souvenirs incertains. C'est comme une photo mal cadrée, comme un film amateur dont les images seraient floues. Je reconnais un visage, le creux d'une hanche, mais l'ensemble se dérobe, rien ne forme une entité stable. C'est aussi comme une bande-son qui avancerait au ralenti, ou dont certains morceaux auraient été endommagés. J'entends une voix mais elle s'égare, des éclats de rire mais ils ne sont reliés à rien de tangible, des soupirs mais j'ignore s'ils sont de plaisir ou d'agacement.

Il faudrait évidemment s'attacher davantage aux gens qu'on rencontre. Il faudrait s'intéresser à eux, prendre en charge un peu de leur vie, de leurs émois, les écouter, écouter même leurs silences, leurs interstices, mais tout va si rapidement, l'urgence commande, et l'instant est roi. Agathe aurait pu faire le poids. J'aurais pu faire le poids. Au final, nous n'avons été que deux ballons de fête foraine, lâchés par des enfants distraits, dans un ciel très pur, et qui se sont envolés et qu'on a perdus de vue.

Mais je brûle les étapes.

14

Désormais, je dois vous parler d'eux.
Raphaël et Cécile.

Ils sont arrivés dans l'après-midi du samedi.
Une semaine exactement après nous.
Ils se sont installés dans la maison d'à côté.
Le drame pouvait se nouer.

Peut-être le mieux est-il de commencer par leur fiche signalétique. Je n'ai jamais considéré que les gens se révélaient dans ces renseignements basiques, normés, donc rassurants, ces informations objectives, codifiées, mais s'agissant d'eux, le hors-norme surgira bien assez vite, tenons-nous-en pour l'instant à ce qui n'est pas contestable ni tragique.

Lui, trente ans, architecte, travaillant pour un grand cabinet, occupé à dessiner des hôpitaux, des bâtiments administratifs, des immeubles de bureaux, frustré de ne pas imaginer des musées ou des hôtels de luxe, conscient de devoir faire ses classes, patient.

Un grand jeune homme. J'emploie volontairement cette expression parce qu'il y avait chez lui des résidus d'adolescence. On aurait dit qu'il avait poussé d'un coup, sans doute vers l'âge de seize ans, et que cette surprise lui était restée, l'avait ancré pour longtemps dans la timidité et la douceur. Regard clair et franc. Une façon de serrer la main sans complications, sans manières. Une sorte de distraction, comme si les choses lui échappaient un peu, comme s'il avait toujours un léger temps de retard. L'adolescence, encore. La brusquerie. Une intelligence évidente, qu'on aurait pu croire pratique, compte tenu de sa profession, et pourtant tout entière tournée vers la conception, l'élaboration, au point que les contingences matérielles lui semblaient étrangères. Un type sympathique.

Elle, vingt-neuf ans, professeur de lettres modernes dans un lycée. Une femme réservée, de prime abord, comme enveloppée de méfiance, sans qu'on distingue s'il s'agissait d'humilité ou d'arrogance. Belle. Très belle. Très sensuelle, surtout. Un visage solaire, ponctué de taches de rousseur. Une chevelure blonde, légèrement rebelle. Des formes généreuses, faites pour l'eau de mer, l'été. De faux airs d'Emmanuelle Béart, si je veux faire simple, donc réducteur. Et puis, à la connaître, quelque chose de rieur, de piquant, de familier. Ne parlant jamais de son métier, des copies à corriger, des salaires de misère, des élèves inattentifs, des établissements mal dotés. Ne parlant pas davantage des livres lus, des expos visitées. Comme si les vacances étaient avant tout une vacance, une rupture, un oubli de la vie ordinaire. Contemplant son mari comme un grand enfant, avec fierté et épuisement.

À la seconde où il l'a aperçue, mon père a fait d'elle une proie.

15

Je ne m'en suis pas rendu compte immédiatement. J'aurais pourtant dû m'en douter.

Car mon père n'aura jamais cessé d'être un prédateur.

Dans ses activités d'avocat d'affaires, il était habitué aux raids, aux guerres éclair ou de position, aux attaques brutales ou sournoises, à l'épuisement de l'adversaire, aux stratégies alambiquées et aux tactiques peu regardantes, aux annexions, aux appropriations, aux conquêtes. Il lui fallait remporter une victoire, et c'était le plus souvent au détriment d'un autre. Gagner. De l'argent, des parts de marché, des combats juridiques incertains. Satisfaire ses clients afin qu'ils lui reconnaissent du talent, du brio, une persévérance hors du commun, l'art de détecter les faiblesses chez l'autre, de percer ses failles, d'amoindrir ses défenses, de le forcer à se rendre. Un as, dans son genre. Il possédait de grands bureaux dans de beaux quartiers, une armada de petites mains taillables et corvéables à merci, œuvrant en secret à son prestige, à sa gloire, des collaborateurs sadisés et extatiques. Roulait dans des voitures très chères dont il changeait régulièrement, dînait dans des restaurants en vue, prenait des avions comme d'autres le métro, ne souffrait jamais du décalage horaire, trop occupé à courir, maître du temps puisque disposant toujours d'un temps d'avance. J'étais admiratif de son énergie, je le reconnais. Son entregent me bluffait. Je ne comprenais rien à ses activités, ou plutôt je ne faisais aucun effort pour y comprendre quoi que ce soit, il était question d'arbitrages, de holdings, d'expertises, de tractations, de fusions, ce vocabulaire ne m'intéressait pas mais je constatais ses succès, jamais assombris par ses échecs car ils étaient rares. Je prenais acte de ses prouesses : il aurait fallu être d'une mauvaise foi abyssale, dont même moi je n'étais pas capable, pour les nier.

Cependant, je n'ai jamais su si son métier avait développé ses qualités originelles, donné de l'ampleur à ses dispositions naturelles ou si, au contraire, c'était là depuis le début, d'un bloc, le goût de convaincre et de vaincre. Pour être franc, je crois que, s'il avait exercé une autre profession, il aurait été le même homme.

Avec les femmes, il déployait les mêmes ruses. Dans le but de parvenir à un résultat équivalent : qu'elles lui cèdent.

Cécile était jeune et charmante. Elle constituait, à l'évidence, une cible idéale.

Raphaël n'était qu'une contrariété. Un aléa. Un problème qui trouverait sa solution.

16

Ils sont venus se présenter à nous.

Étrange initiative. Ils n'étaient là que pour trois semaines. Et même s'ils s'étaient installés durablement, il y a bien longtemps que les voisins ne se livrent plus à ce genre d'exercice.

Ils devaient avoir un attrait inconsidéré pour la gueule du loup.

C'est moi qui leur ai ouvert la porte.

Raphaël est apparu dans l'embrasure. Cécile se tenait légèrement en retrait. Mon air surpris les a surpris. Et, de toute façon, j'étais mal réveillé, mal embouché, mal préparé. Je ne crois pas les avoir salués. Je les ai laissés sur le pas de la porte, un long moment. Ils s'apprêtaient à rebrousser chemin lorsque mon père les a retenus. Sa voix, venue du jardin, a traversé la maison. Elle s'est plantée dans mon dos, tel un poignard. C'était clair : j'étais vraiment un garçon mal élevé tandis que mon père, lui, avait le sens des mondanités et la générosité chevillée au corps. J'aurais pu en sourire si cela ne m'avait pas exaspéré. Les tourtereaux sont entrés, se frayant un passage malgré mon évidente inertie. En passant, Cécile a abandonné derrière elle quelques effluves de son parfum. Je n'y connaissais rien en parfums mais je savais plutôt bien reconnaître les attributs de la féminité.

Après avoir refermé la porte derrière eux, dans un geste où se mêlaient à parts égales la nonchalance et l'agressivité, je les ai suivis alors qu'ils s'approchaient du jardin où déjà mon père leur faisait son numéro. J'ai regardé le dos de Cécile, ses fesses rebondies, ses jambes parfaitement épilées et déjà brunies par le soleil. Je n'ai pas éprouvé de désir pour elle, je le jure. À ce moment-là, de toute façon, mon appétit se concentrait sur les filles de mon âge. Néanmoins j'ai pensé, fugitivement, que l'air avait changé, qu'il s'était chargé d'électricité et que cette innocence en balade ne présageait rien de bon.

Mon père a salué les arrivants avec une chaleur ostentatoire, se comportant comme le maître d'un domaine, bien qu'il n'y eût pas de domaine et qu'il ne fût maître de rien. Il me semble que, à la place des vacanciers, j'aurais été instantanément agacé par une telle familiarité et par une outrance pareille, mais il n'en a rien été. Leurs sourires m'ont paru sincères. Je ne comprenais décidément rien aux adultes, ni à leurs jeux étranges. Ce sens des conventions qu'ils poussaient à la perfection me rendait encore plus méfiant à leur endroit. Bref, j'avais dix-huit ans.

Il a été rapidement décidé que nous dînerions ensemble le soir même. Je ne m'explique toujours pas cette diligence, cette facilité. J'avais passé beaucoup d'étés dans cette maison et aucun étranger n'y avait jamais pénétré de la sorte. Ma mère et moi cultivions une forme de sauvagerie qui nous convenait, reclus, pressés l'un contre l'autre. Et les autres, ceux du « dehors », se tenaient à carreau.

17

Je suis allé rejoindre Agathe.

Elle sirotait une limonade à la terrasse d'un des cafés du front de mer.

Je me suis plaint mollement auprès d'elle (de quoi, je ne me le rappelle plus – probablement de ces vacances). En retour, elle s'est moquée de moi. Son petit rire m'a énervé. Un petit rire de petite fille qui boit de la limonade avec une paille. Un peu bête, un peu méprisant. Le genre de rire qui nous dit : comme tu es ridicule, quand même ! J'aurais pu la planter là dans l'instant (j'en étais capable, j'étais même coutumier de ces foucades, oui, moi, le branleur), mais son odeur, qui me plaisait beaucoup, m'a retenu et puis, à la vérité, cela exigeait trop d'efforts de s'extraire d'une étreinte.

De toute façon, je lui étais soumis. À la première minute, je me suis soumis à elle. Je ne désirais rien, elle désirait pour nous deux. J'étais un garçon avide et paresseux, elle prenait les rênes. Cela a été entendu sans que nous ayons besoin de le formuler. Objectivement, je n'ai jamais trouvé désagréable ou humiliant de me laisser porter par quelqu'un. De me laisser dominer. Au contraire. Il y a de la volupté dans l'abdication.

Un psy m'aurait probablement expliqué que je tentais de renouer avec le lien maternel, que je cherchais ma mère chez mes petites amoureuses, que cet abandon me rappelait le temps où j'étais bercé, protégé par elle et je l'aurais probablement envoyé se faire foutre.

Mais peut-être que c'était vrai après tout, peut-être que les présences féminines compensaient une absence mais quelle importance ? Hein, quelle importance ? Ce qui importait, c'était de se blottir, d'embrasser la peau douce, de céder à la niaiserie des amourettes, de se débarrasser pour quelques instants de l'obligation de la virilité en représentation, de cesser de jouer les caïds et de devenir mou, inconsistant, vaguement tendre, faussement attentif, réellement indolent.

Agathe a claqué un baiser sur ma bouche, pour rappeler que rien précisément n'avait d'importance, et que seule comptait la sensation du soleil sur nos visages, sur nos bras nus. Elle s'est levée d'un bond, a saisi ma main et m'a entraîné. En me levant à mon tour, j'ai failli renverser la table, grand dadais maladroit. Et je l'ai suivie. J'ai suivi une silhouette dans l'été maritime.

18

C'est juste avant le fameux dîner que j'ai regardé les photos.

Je les revoyais pour la première fois depuis les cachets sur le parquet, les escaliers dévalés, le grand silence poisseux d'après les désastres.

Je ne veux pas savoir pourquoi j'ai fait cela. Même encore aujourd'hui, je ne veux pas savoir. Je l'ai fait, voilà tout. J'ai soulevé le couvercle du vieux coffre installé dans ma chambre. Le désordre des souvenirs entassés m'a décontenancé. Je croyais que le passé était mieux rangé que ça.

Une peluche. Des feuilles de papier 21 × 29,7, à carreaux, perforées, recouvertes de mon écriture régulière. Des stylos Bic dont le capuchon était mâchouillé. De vieux disques, avec des pochettes abîmées où les chanteurs arboraient des coupes de cheveux datées et des vêtements grotesques. Des livres de la Bibliothèque verte, dont les titres me disaient vaguement quelque chose. Des coupures de *Tennis Magazine*, qui montraient mes joueurs préférés saisis dans l'action, le bras puissant, les muscles saillants, le regard du tueur. Des enveloppes décachetées dont je n'ai pas extirpé les lettres. Mais aussi des factures d'eau, de gaz. Des relevés de banque. Une rallonge électrique. Un portefeuille dont le cuir était tout craquelé. Comme si ma mère avait mélangé les choses de la vie matérielle aux objets de l'enfance. Et, planqué sur le côté, contre le papier peint moisi qui tapissait le coffre, l'album de photographies.

Certaines des photos, les plus anciennes, étaient à bords dentelés. En noir et blanc. Ou dans des couleurs imprécises, presque verdâtres. D'autres étaient des Polaroid. D'autres des tirages soignés qu'on avait visiblement fait faire, payés. Des années, des existences qui défilent. Des gens qui grandissent, mûrissent, vieillissent, ne sont plus. Le lot ordinaire des familles.

Cet espoir têtu d'arrêter le temps. Cette promesse de conserver ce qui a été pour se le rappeler, plus tard. Ce réflexe. Cette façon de dire : le bonheur a existé, puisqu'il est là, sur les photos.

Ce qui m'a le plus frappé, c'est l'ancrage des images dans une époque ancienne. Je n'avais pourtant que dix-huit ans, alors. La nostalgie n'était pas pour moi. Le sens du temps qui passe m'échappait complètement. Et ce passé n'aurait pas dû me sembler lointain. Flou, tout au plus (puisque j'étais distrait). Mais c'était tout le contraire : les images exhalaient une époque révolue, périmée, morte.

Je n'ai pas réussi à me relever. Parfois, j'ai l'impression de n'avoir jamais été rien d'autre que cela : un gosse agenouillé devant un coffre ouvert, devant les photos de sa mère, et qui ne réussit pas à se relever.

19

Sur une des photos, elle porte un pull beige dont le col est en V. Un pantalon marron légèrement évasé. Des cheveux courts, à la garçonne. Elle fait face à l'objectif mais son visage est de profil, sa tête penchée vers un enfant dont elle remet en place le chapeau de cow-boy.

L'enfant a sept ou huit ans. Il brandit un faux pistolet vers celui qui prend la photo, il sourit de son mauvais tour, il a l'air taquin.

Elle ne peut pas voir l'expression de l'enfant, dissimulée sous le rebord du chapeau, mais c'est comme si elle la devinait, comme si elle savait sa facétie. Elle témoigne de l'attendrissement, un épuisement joyeux.

Derrière eux, une fenêtre. On aperçoit la mer.

La photo a été prise l'été. Ce n'est pas seulement à cause de la lumière par la fenêtre, pas seulement à cause du bleu de l'eau. L'été, il est avant tout sur les peaux, sur les bras potelés de l'enfant. Et puis dans cette désinvolture, cette décontraction, qui sont propres aux vacances, au désœuvrement des vacances.

Aucune date au dos. Elle a dû penser que ce n'était pas la peine, qu'on se souviendrait, que le lieu fixait le moment, que l'âge de l'enfant, sa taille serviraient de repères.

C'est mon père qui prend la photo, certainement. Qui d'autre ? Elle fournit la preuve que j'étais donc capable de lui sourire, ou de jouer le jeu. Ou bien elle laisse échapper mon envie inconsciente de tirer sur lui, allez savoir.

Il me plaît de croire que l'image dit aussi, de manière implicite, que le lien entre la mère et le père est déjà rompu. Puisque la mère ne regarde pas dans la direction du père. Puisqu'elle est tout entière consacrée à l'enfant. Elle veut qu'il n'y ait qu'eux deux, elle et l'enfant, elle a déjà abandonné la partie, elle pressent qu'à la fin il ne restera qu'eux deux, elle et l'enfant.

Oui, j'entrevois la résignation muette de ma mère et son amour pour moi, qui, par la force des choses, deviendra un amour exclusif.

Sur une autre photo, elle est seule, assise sur un canapé. Les yeux perdus dans le vague. Elle ignore qu'on la photographie, c'est évident. Elle est dans une ignorance parfaite. C'est moi qui officie, en cachette, avec un appareil qu'on m'a offert peu de temps auparavant. La photo est mal cadrée, effet de mon amateurisme et sans doute aussi de l'urgence, du souhait d'agir par surprise.

C'est sa détresse que j'ai immobilisée, malgré moi. À une seconde près, c'est un tout autre visage qu'elle m'aurait montré, qu'elle aurait composé. Mais là, c'est sa vérité intime qui apparaît, un spleen tenace, terrible. À une seconde près.

Et, puisque j'en suis à évoquer les traces, les choses qui subsistent, je reviens sur ceci à quoi j'ai fait allusion : ma mère, en se tuant, n'a laissé aucun mot d'explication. Pas la moindre lettre ; même pour moi. Je vais vous faire un aveu : cette lettre, pourtant, je l'ai cherchée pendant des années. Je crois que je la cherche encore.

20

Cécile et Raphaël sont arrivés sur le coup de vingt et une heures, le jour commençait à faiblir, la lumière offrait sa dernière résistance avant de céder.

Ils avaient apporté une bouteille de vin, comme on le fait en ce genre de circonstance. Des gens bien élevés.

Elle avait revêtu une robe légère, en lin écru. Vous savez, de ces robes retenues par deux fines lanières, et qui dénudent les épaules. Lui était en tenue sport, je crois. Un pantalon clair, un polo, quelque chose comme ça. Ils m'ont paru beaux et détendus lorsque je les ai vus sortir de la véranda et s'asseoir autour de la table de jardin installée sur la terrasse. Je suis allé à leur rencontre et ce seul mouvement m'a surpris. J'ai pensé : décidément, ce sont des êtres qui attirent la sympathie.

Et j'ai cessé de me demander pourquoi ils étaient là, pourquoi mon père les avait invités, pourquoi ils avaient accepté l'invitation. Soudain, tout m'a semblé naturel, à sa place. Comme si nous les avions toujours connus. Comme si leur présence nous était familière. Je n'étais pas à un paradoxe près.

Je ne me rappelle plus grand-chose de ce premier dîner, sinon les éclats de rire de Cécile, son ivresse vaporeuse, la discrétion de Raphaël ou plutôt son défaut de vigilance, cette façon qu'il avait parfois de poser distraitement sa main sur le genou de sa femme, les histoires de mon père cent fois entendues, la glace pilée d'un plateau de fruits de mer, le cadavre d'une tarte aux fruits et puis le soir tombé, le vol d'un papillon autour des bougies, l'odeur de citronnelle, le vert sombre du jardin plongé dans l'obscurité, et peut-être le bruit du ressac.

Agathe m'envoyait des textos auxquels je répondais, déclenchant la fausse colère de mon père : « Cet enfant n'a pas d'éducation. Vous me direz, j'en suis responsable. » Et moi qui avais envie de lui répondre : « Mais non, tu n'es responsable de rien, tu n'étais pas là. » Néanmoins je me taisais. Trop occupé à siffler mes verres de vin blanc et à jeter dans la nuit parfumée des mots d'amour téléphoniques que j'aurais oubliés le lendemain.

Au moment où ils sont repartis, il s'est produit ceci, qui m'a marqué : Cécile m'a embrassé. Ce n'était rien et pourtant, ce contact, cette connivence fugace et imprévue m'ont désarmé. Je me suis montré raide et maladroit : ça l'a fait rire.

La sensation de ses lèvres sur mes joues m'est restée longtemps. Comme si la douceur fabriquait les souvenirs heureux.

21

J'ai oublié de préciser : à un moment, au cours du dîner – ce n'était pas au début, plutôt au milieu –, Raphaël nous a interrogés sur l'absence de ma mère.

Je suppose qu'ils se sont dit : nous devons en passer par là, impossible de nous y soustraire ; ne pas poser la question serait un signe d'indifférence, de désintéressement, une froideur, une imperméabilité incompréhensible et inélégante à cette béance tellement voyante. La poser constituait également une effraction dans notre intimité. Entre les deux maux, ils ont opté pour celui qu'ils ont présumé le moindre.

J'ai compris tout de suite que la question avait été préparée, qu'elle avait même probablement été répétée, et que c'est lui qui avait été désigné pour la poser. Le raclement de la gorge ? La fuite du regard ? La nervosité des mains ? Un détail a dû attirer mon attention.

Je ne conserve pas un souvenir précis de la formulation. Je sais simplement que la phrase m'a semblé alambiquée, pleine de circonvolutions, empreinte de maladresse, pas assez directe, pas assez simple. Il aurait fallu ne pas y mettre de solennité. Que l'interrogation apparaisse comme un mélange de politesse et de curiosité saine. La gaucherie l'a tirée du côté du sordide. Nous avons tous eu l'impression que Raphaël venait de rater son coup. D'ailleurs, Cécile a aussitôt toussé légèrement, exprimant une gêne, ou au contraire réprimant son embarras.

C'est mon père qui a répondu, autant pour dissiper le malaise que pour évacuer le problème. Il n'a pas hésité, pas biaisé. Il est allé droit à l'essentiel.

« Sa mère est morte. »

Il n'a pas dit : « ma femme ». Pourtant, il disait toujours : « ma femme », même après leur séparation ; une coquetterie peut-être, une mondanité, pour prouver qu'il était un gentleman. Et puis, ça lui ressemblait, ces mots de propriétaire.

Là, non. « Sa mère. »

En réalité, il tenait à témoigner de son célibat à Cécile, lui expliquer que cette femme, l'autre femme, ne comptait pas, qu'elle avait même cessé de compter avant sa disparition, que le terrain était bien dégagé.

Ce n'était pas de la compassion à mon égard. Pas du tout. Juste un calcul grossier, obscène.

Cette expression glaçante m'a instantanément ramené à mon double statut d'enfant et d'orphelin. « Sa mère. »

Il n'a pas dit non plus la date, les circonstances.

Moi, au fond, je n'ai entendu que ce qu'il a tu.

J'ai bloqué ma respiration. Vidé ma tête. C'est un truc infaillible. Celui qui me permet de ne pas exploser, de tenir un petit moment de plus, de franchir la frontière du dégoût. Après, je peux tout endurer.

22

Mon père voulait que je fasse math sup., que je devienne ingénieur, que j'aie un métier sérieux, reconnu, bien payé. Il répétait : « Tu as des facilités. Ne cède pas à la facilité. » J'avais horreur de ses formules. Il croyait faire des bons mots. Il était très fier de lui. Cela me mettait hors de moi.

Il disait : « Moi, j'ai fait du droit. Parce que c'était la voie royale quand j'avais ton âge. Maintenant, il faut exercer des métiers techniques, c'est ça la vraie aristocratie. » Je ne comprenais rien à son charabia. Et qu'est-ce que j'en avais à foutre de l'aristocratie.

Je pense plutôt qu'il souhaitait m'enfermer dans une usine, ou dans un laboratoire. Que je sois à l'abri des regards. Me réserver à l'obscurité. Surtout pas dans la lumière. Surtout pas un métier en contact avec le public. Mais quand même quelque chose de noble, dont il pourrait se féliciter, qu'il pourrait évoquer sans honte. « Mon fils est ingénieur. » J'ai fait hypokhâgne.

Une catastrophe pour lui. Une filière de va-nu-pieds, un cul-de-sac, la folie de ceux qui se rêvent écrivains ou journalistes, s'imaginent déjà à Normale et finissent profs de lettres dans un collège en Corrèze. Au mieux.

(Que je vous dise : j'avais même envisagé de m'inscrire en fac de psycho. Les études inutiles par excellence, le chômage assuré, le lieu où se retrouvaient tous les ratés et tous les exaltés. Mais bon. On n'est pas obligé de se saborder juste pour ennuyer son géniteur.)

J'ai ignoré ses menaces aussi bien que ses promesses de récompenses si je changeais d'avis et j'ai tenu bon. Cet été-là, je venais d'avoir mon bac et de recevoir la confirmation de mon admission en lettres sup. J'ai dit : « On ne peut plus revenir en arrière, et de toute façon je ne changerai pas d'avis. » Cela n'a fait qu'ajouter un contentieux entre nous.

À Cécile et Raphaël, toujours au cours du fameux premier dîner, il a lancé : « Mais expliquez-lui, vous, que ce n'est pas une bonne idée. » Et Cécile a répondu, du tac au tac, sans se démonter, sans s'excuser le moins du monde : « J'ai fait khâgne moi aussi. Et je suis professeur de français. » Il y a eu quelques secondes de silence, de flottement pendant lesquelles j'ai savouré le fourvoiement de mon père. Il s'est finalement repris : « Vous, ça n'est pas pareil. Vous, ça vous va très bien. Je suis certain qu'il s'agit d'une vocation. » Elle a simplement ponctué d'un « non ». Un « non » très sobre, sans effet, d'une violence parfaite. J'ai jeté un coup d'œil à Cécile et je suis presque sûr qu'elle m'a souri en retour.

Mon père allait avoir du fil à retordre. Ce n'était pas pour me déplaire.

23

Cécile et Raphaël ont peu à peu pris leurs quartiers dans la maison qu'ils louaient.

Cette maison, je la connaissais depuis toujours. Elle avait appartenu à une vieille femme. Je dis : « vieille » car d'aussi loin que je m'en souvienne, elle a toujours eu le visage strié de rides, la démarche lente, de guingois, et une robe noire de veuve.

Ma mère et elle étaient devenues proches au fil des années. Pas des amies, non. Mais il existait entre elles une familiarité dépassant de loin la sociabilité de voisinage. Avec le recul, il me semble que c'est la solitude qui les rapprochait.

La vieille femme était décédée, d'un coup, au beau milieu d'un hiver. Une rupture d'anévrisme. Une mort impeccable, très propre. Pas d'agonie, pas de souffrance. Une lumière qu'on éteint. Une porte qu'on referme derrière soi.

Nous ne l'avions appris qu'avec plusieurs semaines de retard.

Les gens qui habitent des villes désertées à la morte-saison s'en vont toujours sur la pointe des pieds.

Lorsque nous étions revenus, au printemps, pour les vacances de Pâques, les travaux avaient déjà commencé. Les héritiers (un frère et une sœur d'une cinquantaine d'années) avaient déménagé tous les meubles (heureusement, nous n'avions pas vu le vide se faire, je suis persuadé que cela aurait accablé ma mère) et entrepris de rénover les lieux. Ils n'avaient pas l'intention d'habiter là, avaient leur vie ailleurs, mais plutôt que de vendre, ils avaient choisi de retaper puis de confier les clés à une agence qui se chargerait de trouver des vacanciers intéressés.

Depuis quelques étés, nous étions habitués au défilé des touristes. Ceux-ci restaient quelquefois quatre semaines mais, le plus souvent, ils disparaissaient au bout de huit jours. La ville est de passage, on ne s'y attarde pas, on descend plus au sud, ou bien on s'installe dans l'île, ici ce n'est qu'une halte.

Invariablement, on les entendait se lever le matin, préparer un petit déjeuner dans le jardin attenant. On les voyait partir au marché, revenir encombrés de fruits, de légumes, de coquillages. Parfois, ça sentait le barbecue. Les après-midi étaient calmes, réservés à la plage. Et, le soir, on apercevait la lueur tremblante de bougies. Personne n'échappait à ces rituels. Personne. À croire que tout le monde fait la même chose en vacances.

Cécile et Raphaël n'allaient pas se soustraire à la règle.

Ils avaient loué pour trois semaines.

Une bien grande maison pour un couple sans enfants.

24

Je me fiche pas mal de ce que les gens font de leur vie.

Et je n'attends généralement pas d'eux qu'ils suivent des routes toutes tracées ou se plient à des usages.

Pourtant, je n'ai pas pu m'empêcher de trouver curieuse l'absence d'un enfant en bas âge dans le ménage formé par Cécile et Raphaël.

Eux, ils avaient bien remarqué la défection de ma mère.

Mais moi, je n'ai pas posé la question.

Ils étaient trentenaires. Le dîner nous avait appris qu'ils étaient mariés depuis cinq ans. Honnêtement, le début d'une descendance aurait été logique. Affaire de probabilités.

Les hypothèses expliquant une telle singularité étaient nombreuses : le choix de remettre à plus tard afin de se consacrer d'abord à sa carrière, des essais infructueux, la stérilité de l'un.

En fait, je n'allais pas tarder à apprendre (grâce à une connivence insoupçonnable, Cécile choisissant de faire de moi, dans les jours qui ont suivi, son confident) que la jeune femme ne s'imaginait pas en mère. Elle rechignait à être « grosse, pleine » (je répète ses mots). La vérité, c'est qu'elle n'entendait pas renoncer à sa liberté (mais le mariage ne l'avait-il pas sérieusement entamée ? « Non, assurait-elle, les contrats ça se déchire », et toujours avec cette petite voix douce).

Lui, en revanche, se rêvait en père. Issu d'une famille nombreuse, il n'avait pas été dégoûté par la marmaille. Au contraire. Il lui tardait de reproduire le modèle. Elle avait d'abord inventé des prétextes, des manœuvres dilatoires, et elle avait fini par lui cracher le morceau : « Peut-être un jour, mais pas maintenant. » Il avait balbutié quelques suppliques : « On peut en discuter, quand même ? » Elle avait coupé court : « Il n'y a rien à discuter. »

J'allais comprendre que Cécile n'en faisait qu'à sa tête et que sous des dehors soumis et le vernis d'une bonne éducation se dissimulait une femme implacable et hardie.

J'ai regretté que ma mère n'ait pas eu sa force de caractère.

Ce premier soir, j'ai vu mon père relever, lui aussi, la non-présence d'un enfant. N'étant encombré par aucun scrupule, il n'aurait pas été arrêté dans sa quête par ce « détail », mais on aurait dit que cela lui convenait davantage. La route était dégagée. Pour les hommes qui conduisent leur bolide à toute allure, c'est toujours un plus. Ils risquent moins l'embardée, l'accident.

25

J'ai proposé à Agathe une partie de tennis.

Elle n'avait jamais touché une raquette de sa vie. Elle a accepté sans hésiter.

Je n'avais pas du tout l'intention de jouer les moniteurs, ce n'était pas dans mon caractère et puis il y a des peines perdues. J'avais juste envie de passer du bon temps. Il ne s'agissait après tout que de tenter de remettre sur le court des balles partant dans tous les sens. Je n'y ai pas vu une métaphore de l'existence, ni même de notre relation. De toute façon, je n'étais pas doué pour détecter des métaphores partout. Je m'en tenais à l'instant, à sa parfaite vacuité.

Je me souviens : il avait dû pleuvoir la nuit d'avant, la terre battue était humide, grasse, elle collait aux chaussures, les balles rebondissaient mollement, laissant des traces le long des lignes.

Agathe fleurait quelque chose d'un peu désuet parce qu'elle s'était habillée de blanc. Cela m'avait fait sourire. Elle avait aussitôt remarqué mon sourire, m'avait interrogé du regard, je ne lui avais pas répondu, elle avait compris.

Deux garçons s'affrontaient sur le court d'à côté. Plus appliqués que nous. Ils disputaient une vraie partie, comptaient les points, semblaient très concentrés, très sérieux, devaient nous prendre pour des guignols. Agathe les a salués cérémonieusement lorsqu'une de ses balles s'est perdue de leur côté et que l'un des garçons la lui a rapportée, mi-agacé, mi-séduit. J'ai aperçu le désir dans le coup d'œil du garçon et, aussitôt, j'ai éprouvé une bouffée de fierté à être l'amant de cette fille si décomplexée, si joyeuse, dans l'été qui commençait.

Il a suffi de quelques instants pour que cette soudaine fierté me fasse horreur : le temps de comprendre qu'elle était celle des possédants, celle de mon père.

Ce dernier s'est, en effet, présenté (« à l'improviste », tu parles !) au club-house. Je ne lui avais pas dit où je me rendais mais je suppose qu'il m'avait vu emporter ma raquette. On ne joue pas seul au tennis : il lui fallait connaître ma partenaire. Son regard sur elle, à la seconde où il l'a découverte, a ressemblé en tout point au mien un peu plus tôt (les chiens ne font pas des chats, ai-je pensé avec une sorte de renvoi vomitif) et j'en ai été instantanément dégoûté.

J'ai mesuré ce qu'il y avait de détestable à considérer Agathe comme un trophée, un objet. Je n'étais pas féministe, je le suis devenu, ce matin-là, sur un court de tennis en terre battue. La vulgarité de mon père m'a détourné du machisme.

Et sa concupiscence me l'a rendu plus odieux encore.

26

Ce jour-là, lorsque je suis rentré déjeuner, j'ai à peine desserré les lèvres.

Le but, assez évident, était de montrer à mon père que je lui en voulais.

Je jugeais insupportable qu'il s'immisce dans ma vie sentimentale. Car nous avions un accord tacite : il s'occupait de mes études, je m'occupais du reste.

« Oui, mais tu n'en fais qu'à ta tête, pour tes études, je me permets de te le rappeler. Si nous avons un accord, visiblement, tu ne respectes pas ta part du contrat. Pourquoi je respecterais la mienne ? »

Les mots étaient tombés comme une sentence. Et comme un ressentiment.

Ils étaient ceux d'un magistrat, énonçant un verdict.

Et ceux d'un belligérant, rendant coup pour coup.

Cela m'a surpris. J'avais toujours considéré que les reproches ne pouvaient émaner que de moi. D'autant que l'amour d'un père pour son fils (ainsi que son corollaire naturel : une coupable indulgence) constituait une chose indiscutable, non négociable, parce que immémoriale, n'est-ce pas ?

Et l'amour d'un fils pour son père, m'objecterez-vous ? Rien à voir ! Les fils n'ont pas la maturité, le sang-froid, le sens des intérêts supérieurs. Ils sont injustes, narcissiques, de mauvaise foi. Ils ne sont disposés à aucune concession. Leur violence est très pure, quelquefois imbécile, mais au moins lavée de toute compromission, de tout esprit de consensus. C'est ainsi que les rôles sont distribués. (Si un jour j'ai un fils, je suis convaincu que j'aurai tout loisir de m'en rendre compte.)

Cette attitude faisait de moi une tête à claques, voilà ce que vous pensez. Je ne cherchais pas à plaire non plus. J'avais dix-huit ans. Je me croyais tout permis.

Du coup, la froideur s'est installée entre nous, ou plutôt elle a grandi, telle une lésion maligne. La distance s'est creusée. Ces vacances qui avaient pour objectif de nous rapprocher à défaut de nous souder étaient en train de nous séparer un peu plus. De jeter entre nous un territoire immense, séparé en son milieu par une frontière infranchissable.

Mon père semblait n'y accorder aucune importance. C'est ça, il s'en moquait. Au moins en apparence. Au fond de lui, il devait estimer que mes colères figuraient un résidu d'enfance, ou de deuil, qu'elles étaient passagères, et sans conséquence.

Et puis, il était le genre de type à croire que les choses finissent toujours par s'arranger.

27

Ce qui s'est passé les jours d'après, je l'ai pour partie reconstitué.

Car je n'en ai pas toujours été le témoin direct.

Il a fallu que j'opère des rapprochements, des recoupements, que j'interprète certains silences, certains gestes interrompus, des embarras, que je me souvienne de portes refermées sur mon passage, de téléphones raccrochés, d'œillades surprises à la volée. Et puis, bien sûr, j'ai puisé aux affirmations des principaux intéressés, faites après coup.

Cela a été un véritable travail de fourmi, d'enquêteur. J'ai tenté de comprendre. En flic, qui accumule les indices et les preuves. Ou en médecin légiste, qui dissèque et fait parler le cadavre.

Je me demande encore comment l'essentiel a pu m'échapper à ce point, ou plutôt comment je n'ai pas saisi que les pièces déposées les unes après les autres devant moi constituaient un puzzle redoutable.

Cécile et mon père se sont rapprochés.

Dangereusement.

Certes, j'avais perçu l'intérêt que mon père portait à la jeune femme. Seul un aveugle ne s'en serait pas rendu compte. Et, qui plus est, mon œil était exercé. Depuis le temps.

Cependant, je m'étais persuadé, dans la foulée, que ses tentatives de séduction resteraient vaines. Qu'elles étaient grotesques.

Parce que Cécile paraissait heureuse dans son mariage.

Parce que, même si elle l'était moins que ce qu'elle montrait, elle semblait incapable de transgression, de trahison (se méfier des apparences).

Parce que, même si elle devait transgresser, elle choisirait forcément un autre homme que mon père, plus jeune, moins arrogant, moins sûr de lui (se détourner des idées convenues).

Parce que, même si elle devait finalement s'intéresser à lui, la configuration était pour le moins risquée : les deux maisons étaient voisines, les deux époux passaient le plus clair de leur temps ensemble, les conditions de l'infidélité n'étaient pas réunies (ne pas accorder trop d'importance aux obstacles).

Donc je n'ai pas supposé, une seule seconde, que les avances de mon père, balourdes ou contrariées par la présence du mari, seraient payées de retour (touchante naïveté).

C'était sous-estimer sa détermination (que je connaissais pourtant).

En fait, je n'ai pas vu qu'il était sincèrement ébranlé par Cécile. Et qu'elle était traversée de questions, percluse de fragilités au point de céder à un homme qui saurait se montrer pressant, prévenant, insolent.

28

Pourquoi ces deux-là ? J'insiste.

Pourquoi le rapprochement de ces deux-là ?

Tant de différences entre eux : de milieu, d'âge, de culture. Un gouffre.

Et puis, leur rencontre... Une rencontre de hasard, de circonstance, vouée à demeurer sans lendemain.

Et surtout, elle, si libre, si volontaire en dépit de ses airs soumis quelquefois. Elle qu'on aurait logiquement imaginée rebutée par un butor, par quelqu'un d'aussi peu subtil que mon père (d'accord, je force le trait ; évidemment, il était plus fin que la caricature que j'en fais ; mais tout de même, il était si rentre-dedans, si impropre à la patience qu'exige la conquête d'une femme remarquable et je l'avais vu si insensible avec une femme remarquable justement).

Oui, vraiment, leur conjonction avait quelque chose d'improbable.

Avec le recul, j'ai mieux compris.

C'est précisément parce qu'elle avait quelque chose d'improbable qu'elle s'est produite, qu'elle s'est cristallisée. Ces deux-là n'avaient rien à faire l'un avec l'autre, ils n'auraient pas dû se rencontrer, s'atteindre, tout les séparait, tout aurait dû continuer à les séparer, et même dans l'hypothèse où ils se seraient rapprochés, normalement il n'aurait pas fallu longtemps avant qu'ils se rendent compte qu'ils étaient parfaitement incompatibles.

C'est tout le contraire qui s'est produit.

Ils se sont trouvés alors qu'ils ne se cherchaient pas.

Ils se sont connus alors qu'ils ne se reconnaissaient pas en l'autre.

Ils se sont réunis, comme on réunit deux solitudes insoupçonnables.

C'est terrible à admettre mais je crois qu'ils ont commencé à s'aimer.

Je n'ai pas voulu voir cela, qui certes s'est joué dans la clandestinité, loin des inquisitions, loin des suspicions. Je pourrais m'en sortir en prétextant que la discrétion des intéressés, leur obligation au secret, a, par essence, nourri mon ignorance ou, si on veut le dire autrement, empêché d'aiguiser mon observation. Mais ce serait un pis-aller, une échappatoire misérable. Car, si j'avais accompli un effort, si j'avais cherché à comprendre, alors peut-être que j'aurais vu.

Ces deux-là étaient porteurs d'un désir. Celui de Cécile était inavoué, comprimé, informulé, étouffé. Celui de mon père était ostentatoire, mais cette ostentation masquait évidemment une vulnérabilité à laquelle je ne pouvais souscrire. Ces deux désirs sont entrés en collision. Ils ont provoqué des dégâts, que nous ne réparerons jamais.

29

Sur la photo, elle sourit.
Cécile.

Quand a-t-elle été prise, cette photo ? Et pourquoi m'est-elle restée ?

Je suppose que mon père en est l'auteur. Il possédait alors ce petit appareil dernier cri dont il se servait à tout bout de champ. Je crois qu'il se fichait pas mal des photos, mais il avait besoin de démontrer sa modernité, sa maîtrise des gadgets les plus récents, les plus sophistiqués. Il était dans cette tyrannie d'un présent permanent, ou d'un avenir immédiat. Le passé ne l'intéressait pas. Il le nommait d'ailleurs le « dépassé ».

Mais alors pourquoi la photo, qui fige un instant, inscrit un visage, un événement dans un temps aussitôt obsolète ? Pourquoi cet arrêt alors que seul lui importait le mouvement ? Pourquoi cette concession à une nostalgie future ?

Je suppose que la raison secrète, c'était de tenir la jeune femme dans son viseur, de la fixer dissimulé derrière l'objectif sans risquer d'être considéré comme un intrus, de saisir quelque chose d'elle, de conserver quelque chose d'elle. Une pulsion adolescente. Une impudeur travestie.

C'est une photo d'avant le basculement.

Avant que les choses ne prennent un tour sérieux entre eux.

Une photo du temps de la séduction, de la conquête.

Qu'y voit-on ? Une femme dans l'été, une femme dont les cheveux s'envolent, soulevés probablement par le vent maritime. Ce qui frappe, ce sont les taches de rousseur et le clair du regard. Et cette façon de poser, comme si on la forçait, et comme si, dans la seconde suivante, elle consentait à ce viol. Elle sourit, mais dans la retenue. Le soleil est dans ses yeux, il leur donne un éclat étrange. On distingue le haut de ses épaules, une bretelle, un grain de beauté à la base du cou, mais c'est un peu flou, indistinct. Le corps devait être en retrait. Ou bien elle a tendu le visage.

On ne voit qu'elle. Raphaël se trouvait peut-être dans les parages, mais il n'apparaît pas, il est hors champ, tenu à l'écart, il est éliminé. Le zoom est sur elle. Elle est l'unique sujet.

Je ne peux m'empêcher de comparer cette photo à celles de ma mère.

La différence n'est pas seulement dans l'inégalité des apparences, dans la dissemblance. Elle tient à autre chose : à la vitalité qui se dégage. Cécile était du côté de la vie, intégralement. Très vite, ma mère s'est méfiée de la lumière. Elle a marché sans faiblir vers l'obscurité, la fin.

30

Je fais l'hypothèse que Cécile a vaincu quelques résistances.

Pour céder à mon père.

Elle n'y est pas allée comme ça, d'un coup. Elle a dû surmonter une forme d'autocensure. C'est bien beau, la liberté (supposée) ou l'insatisfaction (possible) mais, à un moment, on passe à l'acte. Comment est-elle passée à l'acte ?

Selon ses propres dires, les choses se sont faites naturellement, presque sans qu'elle s'en rende compte. Un jour, elle s'est retrouvée entre les bras de l'homme, il l'embrassait, elle s'est laissé faire.

Moi, je crois que ce n'est pas aussi simple. Je suis persuadé qu'il a fallu une somme de minuscules transgressions, le renversement lent et muet de barrières les unes après les autres. Une manière de désobéissance, aux règles apprises, à la bonne éducation, aux avenirs prévisibles. Une faculté à enfreindre, à outrepasser, à contrevenir, qui était là depuis longtemps, en germe, et qui a éclos, à la manière d'une rose au printemps. Ou comme un papillon craque sa chrysalide.

Alors oui, peut-être, en effet, n'a-t-elle pas eu conscience de ces victoires invisibles, de ces franchissements d'obstacles. Peut-être cela s'est-il joué en dehors de sa propre volonté. Mais elle a inévitablement consenti à ce processus, elle a emprunté cette route.

Lui, il était là, au bout de la route, tendant les bras, avec une expression rassurante, et des mots doux volant dans l'air. Il l'a délestée de toute culpabilité, débarrassée de toute honte, confrontée à son désir, lui a probablement expliqué que rien n'était grave, et qu'on ne fait pas le mal en s'enlaçant.

Il a été assez malin pour ne pas la brusquer, pour respecter son tempo. C'était plus facile pour lui que pour elle. Il s'est adapté (exploit notable chez un homme aussi impatient).

Je les imagine dans la première étreinte, le premier baiser. Ce devait être dans la maison (je veux dire : la nôtre, celle de ma mère), avec le bruit de la marée dans les fenêtres, et les cris des enfants sur la plage, aux premières heures de l'après-midi. Raphaël faisait une sieste dans l'autre maison, confiant, vaincu par une belle fatigue, celle du sel sur la peau, du vent sablonneux dans les cheveux.

Je les imagine et cela me fait horreur.

Encore aujourd'hui.

31

Il y a eu ce matin.

Le petit déjeuner dans la cuisine.

Mon père est assis devant un bol de café fumant. Sur la table, je remarque des croissants, du pain, de la confiture, du jus d'orange. C'est lui qui a préparé cette table, le même qui ne l'avait jamais fait auparavant, qui n'avait sans doute jamais songé à le faire.

Immédiatement, je pense : il a quelque chose à se faire pardonner. Mais je chasse aussitôt cette pensée. Mon père ne confesse pas ses fautes, il les minimise, élude ses responsabilités, il n'y a pas meilleur que lui pour noyer un poisson. Donc l'hypothèse d'une ardoise à effacer me paraît incongrue. Le fait même que j'aie pu l'échafauder confine au grotesque.

Alors, tandis que je m'approche de la table de la cuisine, je songe : en fait, il veut croire que nous sommes une famille, il invente les apparences de la famille, il tente de nous rapprocher dans une cérémonie familiale. C'est un geste de tendresse, un geste maladroit, déclamatoire, mais est-il capable d'autre chose ? Non, il n'est pas fichu de nous épargner une mise en scène aussi embarrassante.

Spontanément, je décide de ne pas lui en faire la remarque, de ne pas marquer de réticence. À quoi bon se jeter dans la provocation ? Que les choses soient claires : il ne s'agit pas de jouer le jeu, il ne s'agit pas d'être dupe mais simplement, pour une fois, conciliant.

Et puis, les matins ne sont pas faits pour l'hostilité. Je m'extrais avec peine du sommeil, je porte encore les traces de l'oreiller sur la joue, ma bouche est pâteuse, je ne suis pas armé pour le combat.

Pas une seconde, je n'envisage qu'il envisage d'avoir une discussion avec moi. Pour moi, la mise en scène se suffit à elle-même. Inutile d'y ajouter des paroles, de la courtoisie. Je m'assois donc sans un regard pour lui, sans un mot. Je fais couler le café dans mon bol, j'aime l'odeur, la sensation de chaud, le bruit de la cuiller qui tourne contre les parois pour faire fondre le sucre, ce rituel.

Mon père, lui, semble décidé à ne pas me lâcher du regard. Je sens ce regard sur moi, non pas inquisiteur mais empreint d'une affection et, soudain, je suis gêné par cette tentative muette d'intimité, elle crée un inconfort, un malaise, comme si elle était déplacée, malsaine.

Cela dure longtemps, le regard de mon père sur moi, dans ce matin de juillet, avec un chien qui aboie dans le lointain.

Et puis, il dit : « Comment tu la trouves ? »

Et, d'un coup, l'objectif du cérémonial m'apparaît. Il s'agit de parler d'elle, de prononcer son nom, de recueillir sinon mon assentiment, au moins mon opinion.

D'abord, je ne réponds rien. Évidemment, j'ai compris de qui il me parle, et son intention. Mais me tenir dans le silence est la meilleure des postures, j'en ai l'intuition. La cuiller tourne toujours dans le bol, elle invente une ritournelle crispante.

Mon père s'impatiente. Je finis par lâcher : « Elle est jeune. »

Et, après une poignée de secondes, j'ajoute : « Ce serait bien de la laisser tranquille. »

Mon père pince les lèvres, hoche la tête. En cet instant, il me déteste. Je peux sentir très nettement sa détestation. Elle est éclatante, sans tache.

32

La deuxième rencontre officielle reste un souvenir imprécis.

Elle s'est produite chez eux, j'en suis certain : ils nous rendaient notre invitation.

Je n'étais pas entré dans la maison de la vieille femme depuis des années. En fait, l'occasion ne m'en avait pas été fournie. Les héritiers n'avaient guère manifesté de curiosité à l'égard de cet adolescent qui traînait ses guêtres dans les parages, avec un air vaguement méchant, un peu buté en tout cas, et de la morve au nez. Et puis les vacanciers successifs avaient eu autre chose à faire que de s'intéresser à des voisins si temporaires, des silhouettes à peine entraperçues, de faux autochtones que, de toute façon, ils ne reverraient jamais plus, une fois leurs valises bouclées.

J'ignorais donc tout des travaux qui avaient été effectués. Je me remémorais des murs où la peinture avait fini par s'écailler, des napperons sur des meubles, une maquette de bateau posée au-dessus de la télévision, une corbeille de fruits sans fruits, un plancher qui craquait, un canapé au tissu usé, une casserole retournée sur un évier, et les rideaux aux fenêtres qui dissimulaient la mer, comme si c'était trop de beauté, ou trop de permanence.

Les choses avaient changé du tout au tout. L'ensemble était désormais plus moderne, plus fonctionnel également. Tout avait été pensé pour des gens de passage : un carrelage facile à entretenir, une cuisine à l'américaine, un mobilier sommaire mais assez élégant, une impression de lumière et d'espace favorisée par un mur en pierre ocre, des poutres claires et des ouvertures plus larges. Quelques bibelots ici ou là, plutôt bien choisis, pour gommer l'idée d'un lieu impersonnel. Des teintes sable dans les chambres. Efficace et agréable. Rien à redire. Sinon que la présence de la vieille femme avait été absolument effacée. Aucune trace d'elle ne demeurait nulle part. Mais, à part moi, qui s'en souciait ?

Est-ce en cette minute que j'ai fait la connaissance de ce sentiment, si souvent éprouvé par la suite ? Le sentiment que tout est ordonné et que rien n'est véritablement à sa place.

J'ai pénétré dans la maison à la façon d'un homme revenant sur les terres de son enfance et je me suis senti presque tout de suite un étranger. Il ne faudrait pas entasser de nostalgie, le réel se charge régulièrement de la rendre dégoûtante.

Cécile et Raphaël nous attendaient là, ils avaient investi les lieux, se comportaient en maîtres, ne sachant rien de ce qui les avait précédés, un brin obscènes dans cette ignorance, mais inattaquables parce qu'ils souriaient.

Mon père les a salués avec empressement. Et, cette fois encore, Cécile m'a embrassé. Elle portait le même parfum que la fois d'avant.

33

Donc, disais-je, pas de souvenir précis.

Il me semble seulement qu'il y a eu de la légèreté et une gaieté factice. Tout sonnait un peu faux. Et seul Raphaël ne s'en rendait pas compte.

Mon père avait entrepris la conquête de la femme (le premier baiser, volé peut-être, exigeait une suite) et ne s'en cachait guère. Il fallait la candeur (et la confiance) de Raphaël pour ne pas s'en apercevoir. Cécile, de son côté, était vacillante. Et c'était émouvant, son trouble, cette conscience qu'elle avait de mener une lutte perdue d'avance. Depuis, j'ai appris à aimer ce moment où les cuirasses tombent, où les fragilités se dévoilent, où les destins bifurquent. Je ne recherche plus que cela même : l'égarement des certitudes, l'affolement des paupières, le rosissement des joues, quand on se prépare à basculer. Ces secousses intimes qui disent sur nous bien plus que toutes les déclamations. Ces redditions silencieuses, que seul le corps trahit. Car c'est bien cela qui était à l'œuvre, ce soir-là, dans la maison joyeuse, dans la nuit sucrée.

Mais parce que c'était mon père, et parce que c'était elle, j'étais incroyablement embarrassé. J'observais un prédateur à l'œuvre. Et je voyais se profiler un carnage inévitable.

Et puis, je détaillais, avec tristesse, le mari, pas encore cocu mais déjà défait. Je voyais sa défaite inévitable. Et ma tendresse va spontanément aux vaincus.

Une scène me revient. Cécile vient de partir d'un rire énorme, un rire de gorge qui a renversé sa tête en arrière, qui lui a fermé les yeux. Mon père a probablement raconté une de ses histoires extravagantes dont il avait le secret (dans certaines, il se mettait en scène de manière grotesque mais ce n'était, bien sûr, que de la fausse modestie destinée à lui attirer la sympathie ; dans d'autres, il faisait entrer ses interlocuteurs dans les turpitudes des gens célèbres, qu'il fréquentait). Et Raphaël, enchanté sans doute par cet accès de bonne humeur, emporté par l'échauffement de l'instant, croit bon de ponctuer : « Vous avez un don, Guillaume. Ma femme rit si peu ! » Et, comme pour s'excuser, il aggrave son cas : « Enfin, moi, je ne sais pas la faire rire. Je ne suis pas un type drôle. » Et la bonne humeur retombe aussitôt, laissant la place à de la gêne. Pour dissiper cette mauvaise impression, Cécile croit bon d'ajouter : « Mais si, tu me fais rire. Ta distraction me fait rire. » Et moi, j'avise Cécile en cette seconde précise, je plante mon regard dans le sien afin de lui faire comprendre que cette dernière réplique est la pire de toutes. Car elle signifie, sans le vouloir : tu ne te rends compte de rien, tu passes à côté des choses, c'est charmant la plupart du temps, mais ce soir, c'est tragique, mon pauvre chéri.

Ce que je me rappelle, c'est que les verres de vin blanc, où s'entrechoquaient les glaçons, faisaient tourner les têtes. Et que la soirée n'en finissait pas. J'avais promis à Agathe de la rejoindre. Elle m'adressait des textos comminatoires (une fâcheuse manie, décidément) qui me flattaient et auxquels, cette fois, je me faisais un plaisir de ne pas répondre. Je devinais que sa colère n'était qu'un jeu. J'avais envie de ses bras, pour me faire oublier que nous dansions au-dessus d'un volcan, pour me ramener à l'irresponsabilité, à la sensation douce et cotonneuse de l'irresponsabilité.

34

D'autres indices auraient pu m'alerter, mais je suppose que je cherchais à ne pas y prêter attention, ou à ne pas leur accorder d'importance. À la fin, pourtant, cela forme une image très nette.

Il y a eu ce jour où j'ai aperçu Cécile, debout derrière sa fenêtre, rideau soulevé afin de regarder en direction de notre maison. Moi, je me tenais au salon et je pouvais contempler son manège sans qu'elle devine ma présence. À l'évidence, elle espérait voir sortir mon père, qui, à cette heure-là, refaisait le monde ou plutôt refaisait des affaires à force de coups de gueule ou de répliques doucereuses au téléphone. Elle était tendue, fébrile. Raphaël devait se trouver dans une autre pièce, occupé à je ne sais quoi, ou plus sûrement à rien du tout, incurieux de son épouse, seulement vautré dans l'oisiveté estivale. J'ai fini par me déplacer et par apparaître dans son champ de vision. Elle a refermé le rideau d'un coup sec mais c'était trop tard : elle savait que j'avais vu.

Il y a eu cet autre jour où mon père pianotait sur son portable, avec un sourire satisfait. Il échangeait des SMS avec un correspondant mais sa ferveur adolescente me faisait douter qu'il puisse dialoguer avec un de ses clients. C'était une femme à l'autre bout, forcément. Et c'était une danse du ventre électronique qui se produisait sous mes yeux. Ce n'était peut-être pas Cécile après tout, ai-je pensé. Les femmes ne manquaient pas, dans sa turbulente existence. Et puis, comment aurait-il obtenu si vite son numéro ? Sauf qu'une fois sa conversation virtuelle achevée, il a lancé, à la cantonade : « Cécile t'embrasse. » Voulait-il me mettre au courant ? Ou s'agissait-il d'une maladresse ? Ou encore d'un pari sur mon aveuglement ?

Mais surtout, il y a eu la phrase d'Agathe, balancée comme un pavé dans la mare, avec son innocence perverse. « J'ai vu ton père, hier. Il sortait d'un hôtel. » L'hôtel se trouvait dans la ville d'à côté, à une dizaine de kilomètres à peine, suffisamment loin néanmoins pour que personne ne l'y connaisse, pour qu'il n'y soit pas identifiable. C'était l'hôtel de la gare. J'ai visualisé un établissement un peu glauque, un peu miteux, rendez-vous des voyageurs de commerce mais Agathe m'a contredit aussitôt : « Non, non, ils viennent de le refaire, c'est clean maintenant. » Et elle a ajouté : « Il faisait quoi, ton père, dans un hôtel, en plein après-midi ? » Je n'ai pas jugé utile de lui répondre. Elle avait compris. Il ne lui manquait qu'un nom. Elle était loin d'imaginer que c'était tout simplement celui de la voisine.

Les rendez-vous clandestins avaient commencé.

35

Je me suis rendu sur le lieu du crime, le lendemain.

Oui, j'ai fait cela, qui ne me ressemble pas, qui ne me regardait pas.

Je me suis interrogé sur cette poussée irrésistible. Était-ce le désir de vérifier par moi-même (absurde puisque mon père avait très peu de chances de se trouver là en même temps que moi) ? Était-ce le besoin de le confondre (absurde encore, pour la même raison et aussi parce que ce besoin aurait trahi chez moi un certain puritanisme, une sorte d'élan moraliste, qui m'étaient normalement étrangers) ? Était-ce l'envie de comprendre (mais comprendre quoi ? Toutefois, je pensais et je pense toujours que les lieux disent quelque chose de nous : voir l'hôtel pouvait m'offrir une révélation – cela n'a pas été le cas) ? Ce que je sais, sans ambiguïté, sans détour, c'est combien ma démarche m'a semblé indispensable et vénéneuse.

Je devine ce que vous pensez : j'aurais dû traiter cette histoire par l'indifférence. Après tout, elle n'était pas si grave. Mon père entamait une liaison avec une femme mariée, la belle affaire. Ce n'était pas la première fois, ce ne serait pas la dernière. D'où me venait alors cette irritation ? Pourquoi m'impliquer à ce point, alors que, jusque-là, je m'étais soigneusement tenu à l'écart (soit parce que mon père s'était montré discret, soit parce que ses emportements ne m'intéressaient pas du tout) ?

Il y avait, à l'évidence, quelque chose de différent, que je n'étais pas fichu de nommer précisément, qui avait sans doute à voir avec les circonstances : un été moite et fastidieux, une promiscuité embarrassante, une maison peuplée de souvenirs, la vengeance promise en secret à une absente, la fin de l'adolescence. Et parfois l'enchaînement des circonstances provoque des tragédies, voilà.

Agathe avait raison : on avait redonné à l'hôtel les apparences de la modernité. Une laideur acceptable, couleur coquille d'œuf. Subsistait l'armature, directement sortie des années vingt. La seule chose qui conférait un peu d'allure à l'ensemble.

Dans la gare voisine, il ne passait que trois ou quatre trains par jour. Le chiffre se montait peut-être à huit pendant la haute saison. Sûrement pas dix. Et c'est d'abord à la gare que je me suis rendu. Un bâtiment désuet, un guichet unique derrière lequel se tenait un homme sans âge, des affiches jaunies, on avait dû oublier de poser les plus récentes, à un moment on avait abdiqué, à quoi bon, tout le monde se fichait bien des tarifs TGV, ici ce n'était qu'une halte, un point dérisoire sur une carte trop vaste. Il y avait seulement deux voies. À l'extrémité de chaque voie, le nom de la grande ville la plus proche, écrit en bleu sur un panneau blanc. Les quais n'étaient pas très longs, les rares voyageurs patientaient sous des Abribus. J'ai longé une des voies jusqu'aux barrières pour rejoindre l'hôtel par l'arrière, en détective burlesque. Quelqu'un sortait les poubelles. Une femme de chambre grillait une cigarette en vitesse. J'ai songé à ce qui se tramait derrière les murs : la fatigue des VRP hors saison, le ballet des vacanciers dès le retour des beaux jours, les infidélités consommées à l'abri des regards. J'ai déguerpi aussitôt.

36

Revenons à l'été.

Au passage lent des jours dans le soleil enfin installé.

Ma peau brunissait. Agathe y déposait des baisers qui me plaisaient. Mon corps se détendait. Il n'avait pourtant subi aucun outrage (les efforts n'étaient pas mon genre). Seul mon esprit continuait de vagabonder, incapable de lâcher prise. Agathe ressentait cette pression que je n'exprimais pourtant jamais. Elle tentait de l'aplanir, par une tendresse subtile, ou une joie débordante. Je la regardais sourire, une mèche de cheveux tombait dans ses yeux, je me doutais que nos amours innocentes ne survivraient pas à juillet, elle s'en doutait également, pourtant nous avions implicitement choisi de ne pas nous arrêter à cette évidence, trop accaparés par l'instant.

Je ne progressais guère au tennis mais tel n'était pas mon objectif. Au club-house, ce que je préférais, c'était le repos d'après les matches, le verre de limonade glacée qu'on sirote sous les parasols, les jambes écartées, la tête en arrière, la sueur aux aisselles, le souffle un peu court et cette sensation délicieuse de délitement. Et puis le silence. L'inutilité des paroles. La quête d'une parfaite vacuité. Et les ahanements des joueurs en train de s'affronter encore, là-bas, pas si loin cependant mais assez pour qu'ils nous semblent appartenir à un autre monde que le nôtre, cotonneux. Et l'étau qui se desserre sur le front, la dissipation d'un vertige.

Je ne me baignais pas beaucoup non plus. Optant pour de longues séances de demi-sommeil, de quasi-coma, étendu sur ma serviette, sur la plage, yeux clos, le dehors enfin disparu. Juste la sensation du vent de temps en temps, des éclaboussures de sable, le léger ruissellement de la crème solaire au creux du torse, les cris amortis des enfants et, lorsqu'il m'arrivait de me relever, le miroitement de la mer, le faible roulis des vagues, à quelques mètres à peine, cette fraîcheur de l'eau qui me ferait certainement beaucoup de bien mais à laquelle je renonçais tant était grande ma paresse.

Tout de même, il m'arrivait de marcher le long de la jetée, dégingandé, nonchalant. Avec le recul, je me dis que je devais ressembler à ces statues de Giacometti, ces silhouettes maigres et légèrement penchées en avant. On me regardait passer, on m'oubliait aussitôt.

J'avais irrévocablement renoncé à la lecture des journaux. Le caractère éminemment périssable de l'actualité me conduisait au désintérêt absolu. Je n'en éprouvais aucune culpabilité. Les catastrophes continuaient sans moi. Le monde n'avait pas besoin de moi.

Seule demeurait cette irritation lancinante et inintelligible, telle une mouche qui frappe au carreau. Et impossible d'ouvrir la fenêtre pour la libérer, la chasser.

37

Raphaël a été contraint de s'absenter.

C'est souvent dans les instants où l'on est le plus vulnérable que l'on s'expose le plus, vous avez remarqué ?

Un problème sur un chantier dont il était maître d'œuvre l'obligeait à regagner Paris. Une urgence, comme on dit. On réquisitionnait son expertise. Il n'était pourtant pas le seul responsable. Seulement le plus rapide à rapatrier sur les lieux de l'avarie.

Je l'ai vu partir un matin : il s'engouffrait dans la voiture tandis que je sortais relever le courrier dans la boîte aux lettres. Cécile s'est installée au volant. Devant ma surprise, elle a juste dit : « Je l'emmène au train. » Expression qui m'a renvoyé instantanément quelques années plus tôt quand ma mère m'accompagnait le samedi matin, afin que je retrouve mon père pour son week-end de garde alternée, dans ce temps très court qu'a duré leur divorce. Je dis : « très court » puisqu'elle s'est tuée très vite après leur séparation.

Cécile a ajouté : « Mais moi, je reviens. » Et j'ai entendu : « Le terrain va être dégagé. Il ne restera que ton père et moi, tout ne dépendra plus que de nous deux. Et ne t'avise pas de te mettre entre nos pattes, s'il te plaît. On s'est débarrassés du principal obstacle, ce n'est sûrement pas pour se laisser entraver par un petit con. » Ce n'était évidemment pas le sens de sa remarque. Loin de là (je l'ai su plus tard). Cependant, c'est très exactement l'effet qu'elle a produit sur moi.

La certitude de leur liaison s'est alors définitivement installée dans mon esprit. Et son caractère infâme m'a arraché une moue de dégoût. Je m'en veux encore de ce dégoût car, au fond, il n'y avait guère d'infamie dans tout cela et, après tout, deux adultes consentants avaient bien le droit de faire ce qu'ils voulaient. Mais bon, il y a des sentiments qui ne se contrôlent pas. Des répugnances qu'on ne domine pas. Et des animosités qu'on se plaît à nourrir.

Lorsque la voiture a bifurqué au bout de l'allée pour emprunter la route qui longe la ligne de chemin de fer, j'ai eu la sensation qu'une mécanique inéluctable s'enclenchait. Pas une mécanique folle et terrible et dévastatrice. Non. Ça, je n'en ai pas eu la prescience, je l'avoue. Néanmoins, il m'a véritablement semblé qu'un engrenage venait de s'amorcer et que personne ne songerait à l'arrêter. Ou alors trop tard.

Lorsque je me suis retourné pour rentrer dans la maison, mon père se tenait sur le pas de la porte. Sa présence a interrompu mon mouvement une fraction de seconde, à la manière d'une décharge électrique. Et j'ai repris mes esprits. Toutefois, il a eu le temps d'apercevoir ma tétanie. Sur son visage s'est dessiné un sourire léger, où j'ai cru discerner du dédain. Je suppose qu'il savourait par avance les instants doux que lui promettait le départ inopiné de Raphaël. Mais j'ai voulu y voir une victoire sur moi.

Une victoire qui exigerait une revanche.

38

Alors ils se sont aimés.
Aussi étrange que ça puisse paraître.

Là encore, l'histoire, je la recompose après coup. Sur le moment, je n'en ai saisi que des bribes, volé que de brefs instants. Je n'étais qu'un spectateur. Au mieux. Le plus souvent tenu à l'écart. Et dont la curiosité était précisément affûtée par cette mise à l'écart. Si on m'avait convié dans ce vaudeville, j'aurais sans doute témoigné mon malaise, mais je m'en serais éloigné aussitôt. Parce qu'on me cachait tout, j'ai souhaité tout savoir. Être un grain de sable. L'empêcheur de tourner en rond. Éprouver la cruauté d'être un fils et de sortir à peine de l'adolescence.

Après la vulgarité hôtelière, l'amour s'est fait dans la maison louée. Pas dans la nôtre, non : dans la place enfin nette. Dans le lit faussement conjugal. Je dis « faussement » parce qu'il ne s'agissait que d'un lit transitoire, étranger, anonyme. Il ne portait aucune trace d'une vie commune, d'un temps partagé. Il était peut-être même inconfortable à des corps habitués à autre chose. Trop étroit, trop dur, que sais-je ? Donc un lit qui ne sentait pas la faute, un lit sans histoires, sans souvenirs encombrants.

Tout de même, l'absent a-t-il plané sur les ébats ? L'ombre portée du mari parti a-t-elle pesé sur les étreintes ? Il semble que non. Il y avait trop d'urgence entre les amants neufs, trop de fièvre. Ils se sont abandonnés. Et dans l'abandon, justement, tout le reste disparaît, tout le reste est englouti. Englouti, le petit mari. Vaincu sans combattre. Balayé.

Et moi, où me trouvais-je à ce moment-là ? Dans ma chambre, à écouter de la musique ? Sous l'eau réparatrice d'une douche ? À la plage ? En compagnie d'Agathe ? Est-ce que je jouais au tennis ? Dans quel exil ? Dans quelle ignorance ? Cécile a dû demander : « Tu es sûr qu'il ne peut pas nous surprendre ? » Et mon père a probablement répondu : « Ne t'inquiète de rien. J'ai fait le nécessaire », avec l'air entendu des gens puissants qui vous expliquent qu'ils ne disposent pas du pouvoir par hasard. Peut-être même a-t-il rigolé. Avant d'embrasser la jeune femme infidèle à nouveau, dans le but de faire taire ses inquiétudes, ses légères préventions.

Et quand je les ai revus, ces deux-là, ce jour-là, je n'ai pas reniflé sur eux le parfum du sexe. Pas aperçu la vibration des corps pas encore tout à fait revenus du plaisir. Pas reconnu les traces des enlacements.

39

Malgré tout, il y a eu sa culpabilité, à elle. La conscience amère d'une délinquance.

Mais relative. Très relative.

Car j'ai appris que s'est engagée une discussion entre Cécile et mon père, dans les commencements de l'amour clandestin.

Elle n'a pas dit : « Ce que nous faisons est mal. » Elle a dit : « Ce que nous faisons ferait tellement de mal à Raphaël s'il l'apprenait. » Ainsi, ce n'est pas la faute qui l'a embarrassée, ce sont les conséquences éventuelles de la faute. La différence n'est pas infime. Cela signifie que sa turpitude se trouvait de sacrées atténuations.

Elle n'a pas dit : « C'est terrible de lui mentir. » Elle a dit : « C'est difficile de lui mentir. Je n'ai pas l'habitude. » Ainsi, la trahison ne lui a pas paru sale, dérangeante. Elle s'est seulement plainte des efforts que supposait la dissimulation.

Elle n'a pas dit : « Nous ne devrions pas continuer. » Elle a dit : « Et si nous nous faisons prendre ? » Donc elle ne nourrissait pas vraiment de remords. Elle redoutait simplement que ses manquements soient dévoilés.

Elle a dit : « Raphaël est un homme patient, gentil. » Elle a ajouté : « Distrait aussi. » Et elle misait sur sa légendaire distraction pour ne pas être démasquée.

Elle a, paraît-il, envisagé de renoncer, dans de courtes phases de découragement mais sans jamais véritablement mettre sa menace à exécution. Elle s'achetait de la bonne conscience avec de la fausse monnaie, voilà tout.

On me jugera sévère avec Cécile. Et peut-être le suis-je. On sera surpris de cette sévérité car j'éprouvais de la tendresse pour la jeune femme. Une tendresse sincère. Néanmoins, je dois à la vérité de signaler que, dans l'affaire, elle n'a pas été une malheureuse victime. Mais bien une complice, réticente uniquement pour la forme.

Quant à mon père, il détenait des réponses pour tout.

Raphaël n'avait « aucune raison de découvrir leur liaison ». Ils se montraient « si prudents ». Il était « si loin ». Il manquait tellement d'intuition. Il était si peu capable d'envisager l'infidélité de son épouse. Oui, les maris ont un cruel défaut d'imagination qui fait la fortune des amants.

Le mensonge n'était rien. D'ailleurs, ce n'était pas un mensonge. À peine une omission. Et puis, il fallait savoir ce qu'elle voulait. On ne fait pas d'omelettes sans casser d'œufs (a-t-il réellement prononcé une phrase pareille ? je le crains...).

Ils s'aimaient. Cela seul importait. Certes, l'amour provoque quelquefois des dommages collatéraux. Faut-il s'en priver pour autant ?

Mon père connaissait tous les trucs, même les plus éculés.

Et, quand ses paroles peinaient à rassurer Cécile, ses baisers faisaient le reste.

40

Je me suis ouvert de tout cela à Agathe ; l'adultère, mon inconfort.

En retour, je n'ai eu droit qu'à un gigantesque éclat de rire.

Pourquoi en ai-je parlé ? Parce que je tenais à ne pas demeurer seul avec ce secret, ressentant le besoin de m'en délester. Et puis j'escomptais que le dépit serait moins grand une fois partagé.

Pourquoi à Agathe ? Parce qu'elle était là. Parce qu'il n'y avait qu'elle. Parce que mes copains, à l'autre bout du pays, sur une autre côte, plus ensoleillée, plus riche, n'avaient rien à faire de mes états d'âme atlantiques, ne m'auraient pas écouté, n'auraient même pas compris que je les encombre avec cette misérable affaire, qui avait, en plus, le mauvais goût d'être une histoire d'adultes.

Pourquoi a-t-elle éclaté de rire ? Parce que mon secret lui a semblé bien anodin, pour tout dire sans intérêt. Elle était à la limite disposée à le trouver amusant. Oui, c'était d'un drôle, à bien y réfléchir, ces coucheries, le mari en voyage, les portes refermées à la hâte, le démon de minuit en plein après-midi, mais tout de même, ça ne valait pas tripette, c'était une comédie sentimentale un peu éculée, et finalement assez vite ennuyeuse.

Et si elle n'avait pas ri ? Si elle n'avait pas ri, est-ce que la suite n'en aurait pas été changée du tout au tout ?

Car son rire m'a blessé. Ridiculisé. Il ressemblait à s'y méprendre à une raillerie, un ricanement. Il disait : « Tu n'es qu'un idiot. Ou un coincé. Ou les deux. Et d'abord mêle-toi de ce qui te regarde. » Les gaillards de dix-huit ans n'ont pas envie que les filles délurées se moquent d'eux.

Elle ne perdait rien pour attendre.

J'entends encore son rire. Un rire de gorge, qui lui a révulsé le regard. Pas un rire de fillette, minaudant, faisant des bulles dans sa limonade, comme la fois d'avant. Non, une exclamation, qui suintait la supériorité, donc le mépris. Une hilarité qui m'a ramené, en un éclair, à l'état de petit garçon. Une rigolade.

Non, elle ne perdait rien pour attendre.

J'ai regardé en direction de la plage, la moue boudeuse. Des types de mon âge jouaient au volley-ball, entre eux. Des pimbêches se donnaient des airs dans des maillots de bain qui manquaient sérieusement de tissu.

Agathe m'a enlacé lorsqu'elle a compris qu'elle m'avait vexé. Mais c'était trop tard. Et trop peu. Et les échos grinçants de son rire résonnaient encore.

41

À quel âge ai-je découvert la première infidélité de mon père ?

Pardon d'y revenir : cette question continue de me tarauder et, malgré mes efforts, elle reste sans réponse.

Je l'ai dit : il a dû y avoir un faisceau de présomptions qui, isolées, ne signifiaient rien mais rassemblées dessinaient une preuve. Une accumulation d'indices. Et aussi des intuitions, des doutes. Toutefois, rien de clair ne s'impose. Je ne me souviens pas d'une révélation, d'une certitude écrasante.

Non, je ne sais pas comment les autres femmes sont arrivées dans son existence. Comment elles ont sans doute d'abord été une infraction (le piétinement des liens sacrés du mariage, le renoncement à la fidélité pourtant jurée devant témoins), puis une diversion (une manière d'échapper à l'ennui, ou de corriger une erreur), enfin un jeu (l'assouvissement des désirs, l'excitation du funambulisme), peut-être une nécessité (se sentir toujours un homme, posséder, recommencer, toujours recommencer). Comment elles ont grignoté son temps, son esprit (cet air absent qui était le sien, ce regard vitreux, ils m'ont rongé, consumé). Comment elles ont fini par prendre la place de ma mère. Puis fait de ma mère un obstacle, un encombrement.

À quel moment ai-je compris que notre famille était fichue ?

Je voyais bien, et depuis un bout de temps, qu'elle boitait, cette famille congrue. Qu'une gangrène s'était emparée d'elle. Pourtant, je refusais de croire que cette gangrène nous emporterait. Sauf qu'un jour, il a bien fallu se rendre à l'évidence.

J'ai vu la dislocation progressive et, dans le même temps, je l'ai niée.

J'ai vu la comédie, l'affreuse comédie. Est-ce de là que me vient mon horreur de la mystification ?

Et, au fond, n'est-ce pas cela précisément qui m'a tant troublé dans l'adultère estival ? La reproduction d'une situation que j'avais vécue, mais sous une autre forme ? Cela qui m'a tant soulevé le cœur ? Le retour du mensonge et de la destruction ?

Je cherche des raisons, vous savez. Je voudrais croire que certains traumatismes sont assez forts pour revenir en boomerang, que la résurgence d'une mémoire douloureuse suffit à expliquer une agressivité, une malveillance. Mais est-ce réellement le cas ?

Sans doute me faut-il concéder quelque chose de plus souterrain, de plus invisible. Une chose inavouable. Une noirceur personnelle, oui : n'appartenant qu'à moi. Une dangerosité qui ne demandait qu'à s'exprimer et que je n'ai pas contenue.

42

Raphaël est rentré.

Je me souviens parfaitement de son sourire à l'instant où il est sorti du taxi qu'il avait pris à la gare pour faire la surprise de son retour à Cécile.

Je remontais des courts de tennis, le front encore cerné de fièvre, le torse enserré dans une liquette imbibée de sueur, les jambes flageolant des efforts consentis face à un adversaire trop puissant pour moi, la raquette pendant au bout de mon bras mort. J'étais ce type fatigué, et lui était rayonnant. Il m'a adressé un salut en claquant la porte du taxi et a attendu que je parvienne à sa hauteur. Nous n'étions pas des amis, il avait sûrement hâte de retrouver sa femme mais il m'a attendu et ce geste m'a ému, cet élan minuscule et généreux. Nous nous sommes serré la main et je me suis cru obligé de lui demander des nouvelles de son chantier. Il s'est montré évasif, tout cela était secondaire, il était heureux de reprendre le cours de ses vacances, il portait dans les yeux le pétillement des enfants quand on vient de les délivrer de l'école. Alors que nous allions nous séparer, il m'a lancé, dans un sourire : « Je vous ai manqué ? »

Et je crois que mon expression s'est figée une ou deux secondes. Cela a été fugace, il ne l'a probablement pas relevé. Pourtant, moi, je n'ai pas oublié mon malaise en cet instant, la sensation d'être un traître, en tout cas un menteur et de couvrir deux fautifs qui ne méritaient pas pareille mansuétude. Car, dans l'histoire, c'était lui le gentil, eux les méchants. Toutefois, j'ai pris le parti des méchants, sous prétexte que leurs errements ne me concernaient pas, et que je n'abritais pas une âme de « balance ». Je n'ai rien répondu ; sa question n'en était pas vraiment une, mon silence n'avait donc rien de perturbant. Je l'ai regardé pénétrer dans la maison. J'ai imaginé la stupeur de Cécile, qu'elle a forcément su transformer aussitôt en un étonnement joyeux. Imaginé leurs retrouvailles, la comédie du couple quand l'un des deux a l'esprit ailleurs. Elle l'a questionné sur son chantier et, à elle, il a donné des précisions, fourni des informations, qui ne l'ont pas intéressée, auxquelles elle a fait semblant de s'intéresser, cependant, ne serait-ce que parce qu'elles créaient une échappatoire bienvenue. Elle a hoché la tête, tenu ses mains, puis proposé de lui servir un verre, tandis qu'il rangeait son sac de voyage dans la chambre conjugale où tout lui a semblé en ordre. Il y a eu entre eux les gestes ordinaires des époux, une simplicité partagée. L'imposture. Je suis resté devant la maison pour réfléchir à cette imposture. Une femme s'est approchée de moi, que je n'ai pas entendue arriver et m'a dit : « Vous avez l'air bien songeur, jeune homme. » Je me suis repris et, sans même lui jeter un coup d'œil, j'ai regagné la maison atlantique. À l'intérieur, tout était calme. Mon père, de l'autre côté de la baie vitrée, était pendu à son téléphone. Je n'entendais pas ses paroles, je n'apercevais que ses cent pas méthodiques. Je me suis engouffré dans la salle de bains pour prendre une douche. J'ai réussi seulement à atteindre la cuvette des chiottes, où j'ai encastré mon visage pour vomir.

43

J'ai ramené Agathe à la maison.

Jusque-là, nous avions toujours débusqué des ailleurs où nous rejoindre.

Je lui ai dit : « Viens. Je voudrais que tu voies la villa. » Et elle a considéré cette requête comme l'aveu d'une affection. La preuve qu'elle devait compter plus que les autres.

Il y avait un peu de cela peut-être. Mais pas que de cela. D'abord, à bien y réfléchir, je n'avais nulle raison de me cacher, de la cacher. Ensuite, je me doutais que mon père, si libéral, et si heureux de dénicher une compensation à ses propres libertinages, ne m'adresserait aucune remontrance.

La vérité, c'est que je saisissais ainsi l'opportunité de lui dire, à mon père : « Moi aussi, je peux séduire. » Je me mesurais à lui. Un truc de môme. Affligeant, quand j'y songe. (Et puis, si j'avais vraiment voulu l'affronter, j'aurais dû chercher à séduire Cécile. Là, il y aurait eu antagonisme, concurrence, lutte. Je n'étais pas assez fou – ou fort pour cela.)

Il connaissait déjà Agathe, l'avait aperçue au

tennis (j'ai raconté cet épisode si embarrassant), mais la découvrir entre nos murs, dans ce sanctuaire de mon enfance, c'était devoir admettre qu'une tout autre importance lui était accordée.

Elle était avant tout un flirt de vacances. Soudain, elle devenait la preuve incarnée que son fils était un homme. (Et surtout la démonstration que je ne souhaitais plus rendre de comptes à quiconque.)

Du reste, c'est ainsi qu'il l'a dévisagée lorsqu'elle a emprunté l'escalier conduisant à ma chambre, la contemplant par en dessous. Beau brin de fille. Mon fils sait y faire. Il était un peu fier, je crois. D'une fierté salace, une fois encore.

A-t-il envisagé de se comporter comme un père, en cet instant ? De nous recommander de nous protéger, par exemple ? Ou tout simplement de nous dire un mot gentil ? En tout cas, il ne l'a pas fait. Il nous a simplement regardés monter l'escalier, comme si nous étions des personnes extérieures à son existence, et lui un spectateur presque distrait de ce qui advenait.

Je lui en ai voulu de cette distance. Bien sûr, j'aurais détesté qu'il se mêle de mes affaires et je n'aurais pas manqué de me chamailler avec lui s'il s'était avisé de me faire la moindre remarque, j'avais même déjà préparé ma contre-attaque. Mais cette indifférence était pire encore. Elle signifiait : « Fais ce que tu veux, ça ne me concerne pas, je m'en fiche bien. Et ne crois pas jouer les provocateurs. La provocation, ça ne consiste pas à ramener sa petite amie chez soi et à la sauter au premier étage. »

Son silence, d'une certaine manière, constituait encore une victoire sur moi.

Nous ne nous comprenions décidément pas.

Ce n'était pas une découverte.

44

Raphaël a fait la connaissance d'Agathe.

C'était sur la plage. Nous étions allongés côte à côte, elle et moi, lorsqu'une ombre s'est posée sur nos corps. La disparition du soleil derrière nos paupières nous a conduits à ouvrir les yeux, tous les deux, à la même seconde. Raphaël se tenait là, debout, au-dessus de nous. Son visage à contre-jour ne nous était pas accessible. Cependant, nous avons deviné qu'il nous souriait. Nous nous sommes redressés sur nos serviettes de bain, dans un mouvement très synchronisé et je lui ai présenté mon amoureuse. Il a tendu la main, elle l'a salué en retour. Il portait un maillot blanc qui lui allait bien. Il était un trentenaire sur le passage de qui les jeunes filles devaient se retourner. Voilà ce que j'ai pensé lorsque Agathe a laissé retomber sa main.

Il avait l'air de bonne humeur. Il y avait une franchise dans son expression, quelque chose de sain. Il paraissait délesté. C'est le mot qui m'est venu à l'esprit : délesté.

Je me suis étonné de l'absence de Cécile, sans penser à mal, sans avoir échafaudé la moindre hypothèse mais, aussitôt formulée, mon interrogation m'a semblé inconvenante, déplacée en tout cas. À lui, elle n'a rien semblé du tout puisqu'il ne disposait pas des informations en notre possession et n'était traversé par aucune inquiétude d'aucune sorte, aucune prémonition, aucune intuition. Il a dit, sur un ton badin : « Elle a préféré rester chez nous. Elle prétend que le soleil est encore trop fort à cette heure. »

J'ai aussitôt imaginé les retrouvailles hâtives, les baisers clandestins, dans l'une ou l'autre des maisons, entre elle et mon père, et je sais qu'Agathe a accompli exactement le même cheminement.

Raphaël était un cocu magnifique. Très beau dans son innocence, dans sa pureté. Tragique, en somme.

Il a demandé s'il pouvait s'installer avec nous et nous l'avons accueilli, tandis que l'adultère se consommait à une centaine de mètres à peine. Nous avons échangé des mots ordinaires, il a été question de météo, de bronzage, de crème solaire, de température de l'eau, de la chaleur du sable sous les pieds, de l'inconvénient du sable entre les doigts huileux, du désagrément de la sueur au creux du torse. Nous avons observé des enfants qui se couraient après en poussant des cris, des adolescents qui se lançaient des Frisbee, des femmes âgées sous des parasols qui s'enquéraient de l'actualité des stars. Agathe avait posé sa main sur mon bras gauche et le caressait machinalement. Je n'ai pu m'empêcher d'y déceler un besoin de se rassurer, un désir de possession ou encore une nervosité. De mon côté, je lissais interminablement mes genoux, repliés sous mon menton. Raphaël persistait à sourire. J'ai finalement dit : « Allons nous baigner », comme si l'eau de mer pouvait laver nos péchés, nous ôter la cruauté nauséeuse de nos omissions.

45

J'ai souvent repensé à la mise en place du piège qui allait se refermer sur nous.

À cet étrange ballet à quatre, dans lequel parfois s'immisçait un étranger (le souvenir de ma mère, le corps doux d'Agathe, l'insolence de Jérémy dont je parlerai plus tard).

À ces va-et-vient d'une maison à l'autre, du jardin à la chambre, de la fraîcheur de la véranda à la chaleur de la plage, de la tranquillité du salon à la fatigue des courts de tennis. Tous ces déplacements infimes que nous accomplissions et qui tissaient à leur manière une toile où nous allions nous empêtrer.

À cette langueur de juillet, lorsqu'on succombe à une paresse qu'on croit méritée (mais quels combats avions-nous réellement menés pour que nous soit octroyé le repos des guerriers ?), et que le désir s'insinue (sont-ce les peaux mises à nu ? l'idée que tout est plus facile, plus accessible, que rien ne prête vraiment à conséquence ?).

À ces abandons progressifs : de la morale, du discernement, du sens commun, et qui ressemblent aux soins palliatifs prodigués au malade qu'on a renoncé à sauver (le mal empire mais qu'importe, puisqu'on ne souffre pas).

Oui, j'ai ressassé.

Ou plutôt la mémoire de ces journées n'a cessé de m'assaillir, à l'instar des vagues qui toujours reviennent, de la mer qui toujours recouvre le sable mouillé, des marées qui toujours alternent et recommencent.

Les images ont défilé, à la manière de ces diapositives de vacances qu'on montrait aux amis au début du mois de septembre, sur un écran blanc, dans une pièce plongée dans l'obscurité, au cours d'un cérémonial ; ces diapositives qu'on avait préalablement disposées dans l'appareil et dont on déclenchait l'apparition au rythme d'exclamations trop appuyées et d'explications trop longues ; ces diapositives qu'on dévoilait et qui laissaient la place à la suivante et la suivante encore en une scansion entêtante (elles avaient figé des instants qu'on aurait égarés sinon, elles disaient le soleil trop jaune dans les visages mal cadrés, des horizons bancals, des tablées généreuses et désordonnées, des phares en contre-plongée, des bateaux trop loin, des rires attrapés au vol, des mises en scène un peu grotesques, le soleil à nouveau, le soleil sur tout comme pour montrer qu'il avait fait beau chaque jour, qu'il n'avait jamais plu, qu'on ne s'était jamais ennuyé, que c'était bien).

Les images ont défilé dans ma tête mais celles-là n'étaient pas aussi joyeuses. On devinait très vite qu'il y avait quelque chose de détraqué, c'était un décalage ténu, le bonheur y semblait factice, les sourires étaient trompeurs, les lieux masquaient des turpitudes, et même les étendues à perte de vue ne semblaient avoir été photographiées que pour nous épargner les désastres s'ordonnant à quelques pas de nous seulement.

Repensant à tout cela, j'ai compris que nous aurions pu facilement tout empêcher mais qu'aucun d'entre nous n'a pris la décision d'arrêter la machine folle. Aucun d'entre nous n'y a songé.

Il en va souvent ainsi dans les situations où personne n'est vraiment innocent.

46

La jalousie est advenue.
La jalousie de mon père.

Cela n'aurait pas dû me surprendre. Je connaissais par cœur ses réflexes. Il avait besoin que les choses lui appartiennent, que les êtres lui appartiennent. Il se révélait incapable de les partager. Il lui était insupportable de ne pas en disposer à sa guise. Réminiscence d'enfant gâté. Habitude de grand prédateur. Arrogance de parvenu. Tout cela mélangé. Un cocktail détonant.

J'avais vu à l'œuvre cette affreuse démangeaison, déjà. Une fois, une seule fois, ma mère avait laissé un homme s'approcher d'elle. Il n'y avait rien d'ambigu, cependant, dans ce rapprochement. L'homme était un collègue de travail, parfaitement inoffensif. Cependant, elle éprouvait de la tendresse pour lui, une affection sincère dénuée d'arrière-pensée. Lui avait été touché par sa fragilité, sa solitude. Ces deux-là s'étaient trouvés. Ils prenaient un café de temps à autre. Allaient au cinéma de loin en loin. S'appelaient les soirs d'abattement. Rien de grave. Ils étaient mariés tous les deux, et fidèles qui plus est, moins par devoir que par amour sans doute, c'est dire ! Un jour, mon père avait surpris une conversation entre eux, au téléphone. Les mots étaient anodins. Mais le ton était badin, léger, complice. Il était aussitôt entré dans une rage folle, accusant ma mère des pires débauches, criant qu'elle n'était qu'une traînée (je me souviens de ce mot-là, « traînée », qu'aucune fureur ne saurait excuser, qu'aucun effort ne peut effacer de la mémoire). Il était véritablement sorti de ses gonds et elle, elle était restée sans voix, impuissante, ne comprenant rien au procès qui lui était intenté, aux insultes dont elle était l'objet, infichue de se défendre, de dénoncer l'injustice de l'accusation, infichue également d'opposer à son contradicteur ses propres manquements. Moi, je me tenais dans l'embrasure de la porte du salon, observant la scène ; je ne suis pas intervenu, pétrifié par un tel accès de violence, abasourdi par le déferlement de cette haine. L'algarade a sans doute été très brève, mais, dans mon souvenir, elle est interminable. Avec le recul, je comprends que mon père s'est senti menacé dans son statut de propriétaire. Il était le détenteur de cette femme, son maître. Il n'était pas question qu'un autre convoite son bien. Il ne pouvait pas établir le lien avec ses propres infidélités, qui, j'en suis convaincu, n'avaient, d'après lui, « rien à voir ». Il m'a fait horreur, ce père possédant. L'horreur ne m'a jamais quitté.

Donc je n'aurais pas dû être étonné quand il a commencé à manifester de l'agacement devant les difficultés de Cécile à se rendre disponible. Le mari était décidément trop encombrant. Ou bien, elle ne fournissait pas suffisamment d'efforts. La nervosité de mon père m'est apparue. Je dirais même qu'elle m'a sauté au visage. Et immédiatement tourmenté.

47

Je crois savoir qu'il a commencé à exercer un chantage sur elle.

Un chantage affectif, bien entendu. Ce sont les pires.

J'imagine facilement les mots doucereux, les mots emmiellés dont l'objectif était de témoigner un attachement en même temps que la surprise de cet attachement chez lui, si habitué à se montrer volage.

Il a dû dire : « Je tiens à toi. Tu ne peux pas savoir comme je tiens à toi. » Et elle, qu'aurait-elle pu faire, sinon être flattée (ne flairant pas le danger), rougir, acquiescer, l'embrasser pour le faire taire avant qu'il ne recommence aussitôt ?

Il a dû dire : « Je pense à toi tout le temps. C'est une obsession. » Une affirmation probablement exagérée mais son esprit était effectivement accaparé par Cécile, son travail à distance s'en ressentait, il n'était plus aussi concentré qu'avant. Moi, je relevais cela, la distraction à tout ce qui n'était pas elle, le changement dans son comportement, l'envahissement progressif de son être par elle.

Il a dû dire : « Dès que tu n'es plus là, tu me manques. » Et, en effet, c'était sur lui, la nervosité dès qu'elle disparaissait, la fébrilité quand l'intervalle entre deux textos se faisait trop long, le léger tremblement de sa jambe droite dès qu'il s'asseyait, l'égarement de son regard lorsqu'il réfléchissait. Le manque est une sensation physique. Je le voyais à l'œuvre dans le tressaillement de ses paupières, dans la maladresse de certains de ses gestes.

Il a dû dire : « Tu ne te rends pas compte, tu ne peux pas te rendre compte, mais ça ne m'est jamais arrivé, le désir à ce point-là. » Un aveu grandiloquent et erroné. Je l'avais déjà surpris tandis qu'il fixait une proie. Rien ne comptait alors que de l'atteindre, s'en emparer. Sa fièvre, en ces instants de la quête, était presque inquiétante. La nouveauté, en l'occurrence, c'était la durée. Car, d'ordinaire, une fois son affaire faite, il oubliait la femme qu'il avait convoitée et en cherchait une autre. Là, il s'en tenait à Cécile, ne déviait pas d'elle. Elle n'était pas une aventure d'un jour. Il lui octroyait le bien le plus rare, le plus précieux, le plus inattendu : le temps.

Il a dû dire : « Il faut qu'on s'arrange pour se voir plus souvent. » Et elle, elle n'a pas songé à être effrayée par cette requête. Elle a mesuré la difficulté, évalué les obstacles, soupesé les risques mais elle n'a pas rétorqué : « Nous devons être prudents. » Elle a accepté de se mettre en danger. Dès lors, elle était fichue.

Il a dû dire : « Si tu n'es pas plus téméraire, c'est que tu ne m'aimes pas autant que je t'aime. » A-t-il réellement prononcé ce terme, « aimer », si peu dans sa nature ? Il était capable de tout pour arriver à ses fins, capable de mentir. Et puis, il ne s'agissait peut-être pas d'un mensonge.

Il a dû dire : « Je vais débarquer à l'improviste et nous verrons bien. » Elle a tenté de le calmer, de le raisonner mais, au fond d'elle, elle était émerveillée par son emballement, par sa folie, par sa faculté à renverser les meubles. N'était-ce pas ce qu'elle attendait depuis longtemps sans l'avoir jamais formulé : que quelqu'un renverse les meubles de sa vie ?

Il a dû dire : « Viens ! », dans des textos grondants. Et Raphaël a dû demander : « Mais qui t'écrit si souvent ? C'est lassant à la fin, on est en vacances. » Et elle a répondu : « C'est ma mère, ma sœur. » Qui sais-je encore. Elle a inventé. Elle est entrée dans l'engrenage du chantage.

48

Tout de même, elle a dit : « Tu me fais peur. »
Cette possessivité venait trop vite.

Certes, elle admettait l'urgence qui les jetait l'un contre l'autre : mieux, elle la partageait. Elle comprenait les ressorts de la nécessité entre eux, même si elle continuait d'en être stupéfaite. Toutefois, l'idée d'une captation lui faisait horreur. Elle était trop libre pour cela. Ou trop mariée.

Elle se réjouissait des déclamations de l'homme, de ses emportements, mais la pression ne devait pas se faire insoutenable. Si elle ne se sentait pas forcée, ni contrainte, l'insistance de son amant, cependant, abattait une à une ses résistances et elle redoutait de se trouver fort dépourvue.

Alors elle avait balancé cette phrase : « Tu me fais peur. »

Elle l'avait rapportée longtemps après, comme preuve de sa « bonne foi ». C'est pourquoi j'en ai connaissance.

« Tu me fais peur. » Le genre de phrase qui glace les sangs, vous fait passer pour un monstre, un salaud, un tortionnaire, qui vous présente comme une menace, un péril. Le genre de phrase qui interrompt immédiatement tout geste, tout élan ou, au contraire, vous oblige instantanément à la douceur, à l'onctuosité, à supplier un pardon.

Qu'a-t-il répondu à cette phrase-là ? Qu'a-t-il objecté ? A-t-il redoublé de baisers ? S'est-il vexé ? L'injustice était patente. S'il était effrayant, c'est parce qu'il était amoureux et que l'amour, quelquefois, peut se révéler effrayant, voilà tout.

En réalité, Cécile tentait de gagner du temps, de repousser l'échéance.

Car elle n'avait pas égaré sa lucidité. Elle avait perçu que le dévoilement de leur liaison n'était pas impossible. Dès lors, il convenait, sinon de l'empêcher, du moins de le retarder. Encore quelques minutes, monsieur le bourreau. Telle était sa supplique. Néanmoins, la sentence serait accomplie, pas de doute.

Et puis, c'était vrai, aussi : il lui faisait peur. Cette voracité. Ce besoin insatiable d'elle. Cette tentation d'exiger l'exclusivité. Tout cela ressemblait à de la passion. Dévorante. Douloureuse. Imprudente.

Même si elle avait envie de lui, de son corps, du poids de son corps contre le sien, de son odeur sur elle, de son visage enfoui au creux de sa poitrine, de ses hanches, elle devait également combattre ses ardeurs, pour ne pas tout gâcher, pour ne pas tout perdre.

Il s'agissait d'un jeu subtil, d'un tango déboussolant, d'un pas de deux permanent où se mêlaient l'ivresse et l'aplomb.

« Tu me fais peur. » Et, tout à coup, la main frêle de la femme avait immobilisé le torse de l'homme, le bras tendu l'avait maintenu à distance. Avant qu'une caresse ne se forme et ne vienne à bout de sa détermination.

49

Est-ce qu'on peut dire qu'il s'agissait d'une passion entre eux ?

Le début d'une passion ?

Les choses ont trop peu duré pour qu'on puisse affirmer avec certitude ce que ce serait devenu. Après tout, ils se seraient peut-être quittés avec l'arrivée de l'automne, n'auraient peut-être même pas dépassé l'échéance des vacances. Oui, si ça se trouve, une fois le séjour terminé, tout le monde serait rentré chez soi, l'histoire aurait été oubliée, elle n'aurait été qu'une passade estivale, sans réelle conséquence. Un peu comme pour Agathe et moi. Hein, qui sait ?

Bon, d'accord, ça n'en prenait pas le chemin.

Moi-même, je sentais que c'était plus important qu'à l'accoutumée, plus intense. Et c'est bien pour cette raison que je pose la question, celle de la passion.

Je n'y connaissais rien à la passion. Encore aujourd'hui, je serais bien incapable d'en décrypter les mécanismes. Il faut probablement en avoir fait l'expérience pour être en mesure d'en parler. Je suis devenu trop méfiant, trop peureux pour m'exposer à cela.

(Et puis, je crois que c'est une maladie, la passion. Une pathologie. Un détraquement. Et je ne suis pas médecin.)

Disons que la ferveur, l'excitation, l'appétit de l'autre, l'exigence fébrile, ça ressemblait à de la passion. Je voyais l'ardeur, l'élan. Je voyais le trouble. Je voyais la frayeur de la perdre se profiler. Un jour, mon père a lâché ses mots : « Tu imagines, dans huit jours, ils seront partis. Comment on va faire ? » Et j'ai aperçu du désarroi, une infime souffrance. Je n'ai pas répliqué parce que je refusais d'entrer avec lui dans la moindre familiarité. Et je trouvais dégoûtant de partager des choses sentimentales avec son père. Pourtant, je dois reconnaître qu'il m'a ému, l'espace de quelques secondes. Il paraissait si désemparé, si démuni. Il ne m'avait jamais offert un tel visage.

Cela étant, je n'exclus pas que les mots lui aient échappé comme on laisse tomber ses clés avant de les ramasser négligemment. Ou bien il s'est exprimé dans l'échauffement d'un instant : une fois la fièvre retombée, on ne se souvient même plus d'avoir été souffrant. Et quand bien même cette inquiétude aurait été sincère, elle n'était peut-être pas vouée à se perpétuer. Il atteignait le pic le plus élevé avant d'amorcer la descente.

Sur le moment, je n'ai pas voulu croire à l'incandescence. Il s'agissait pour moi de simples flammèches, de feux joyeux qui s'éteindraient inévitablement avant qu'une autre, quelques semaines plus tard, ne les rallume. Mon père fréquentait depuis longtemps des incendiaires intermittentes, il n'avait jamais péri dans les flammes, il s'en sortait toujours à temps, pourquoi en serait-il allé autrement, cet été-là ?

50

Et ma mère ?
Comment l'a-t-il aimée, ma mère ?

Je connais les épisodes, bien entendu.

La rencontre sur les bancs de l'université. La légende du coup de foudre instantané et réciproque. Le mariage express, malgré les réticences – pour ne pas dire davantage – des parents respectifs. Des débuts explosifs. Et nomades : il lui a fait faire le tour du monde, l'a emmenée dans tous les pays. On les a vus sur la côte amalfitaine, dans un bolide décapotable, elle foulard au vent se remaquillant dans un rétroviseur, lui les mains gantées de cuir. À Sidi Bou Saïd, dans une villa blanche accrochée au flanc d'une colline, et la mer pour seul horizon. Au Cap, en Afrique du Sud, brinquebalés dans le téléphérique qui conduit à Table Mountain. À Buenos Aires, rentrant dans un hôtel aux premières heures de la matinée, ivres et titubants, suivis par une horde de jeunes gens criards. À La Havane, arpentant le Malecón, en amoureux, le visage cinglé par les vagues trop fortes poussées par une tempête tropicale. À New York, dévalisant les boutiques de la Cinquième Avenue, puisque l'argent comptait pour rien et qu'il achetait tout. À Londres, dans des clubs psychédéliques dont les lumières stroboscopiques ne s'éteignaient jamais. À Saint-Pétersbourg, marchant en funambules sur la Neva enserrée dans les glaces. Remontant le Gange sur une embarcation de fortune, au milieu d'enfants affamés, les yeux piqués de moucherons. Je ne sais plus où encore. Il subsiste des cartes postales qui témoignent de cela, que ma grand-mère a conservées, qui portent des timbres exotiques. Et des cachets noircissant les pages de passeports périmés. Des autocollants sur des valises.

Deux années de folie, avant qu'elle ne tombe enceinte.

Oui, il y a eu de l'amour fou. Avant que je n'arrive.

Lui a-t-elle fait horreur dès qu'elle a été grosse de moi ? Ce qui est certain, c'est que l'annonce de la grossesse marque une césure, qu'elle ouvre une brèche qui n'a cessé de s'agrandir, qui s'est transformée en ce gouffre où elle a été engloutie. Elle entame le processus d'une dégénérescence lente et irréversible.

Ne pouvait-il l'aimer que libre, sans bagages, sans encombre ? Le mariage, l'acceptation de l'idée d'un couple, conduisaient logiquement à la fondation d'un foyer, à la fabrication d'une famille. Pas pour lui, visiblement. Il l'a abandonnée dès qu'elle n'a plus été seule, intègre. Dès qu'elle s'est partagée. Encore une manifestation de son égoïsme.

En tout cas, il a joué suffisamment bien la comédie de l'amour pour qu'elle ne fasse pas la différence pendant longtemps avec la vérité originelle.

Mais tout était consommé. La passion – j'y reviens à ce mot mystérieux, inquiétant –, la passion s'était éteinte.

51

Mon père a lancé à Cécile : « Je ne supporte plus la présence de Raphaël. »

Elle a laissé dire.

Elle aurait dû se rebeller. Raphaël constituait une partie d'elle-même, malgré tout. S'en prendre à lui, c'était s'en prendre à elle, un peu, aussi, n'est-ce pas ? L'attaquer, c'était attaquer des années de sa vie, des choix, des instants à nul autre pareil, des connivences, des épreuves surmontées à deux, du bonheur.

Pourtant, elle n'a pas objecté, consentant à cette violence.

Elle a permis les excès, les dépassements, les franchissements de ligne jaune. En tout cas, elle ne s'y est pas opposée. En cela, elle est blâmable.

J'ai beau me rappeler la force de conviction de mon père, imaginer ce qu'était la puissance de l'attraction entre lui et elle, je ne me résous pas à ce bannissement du mari, à cette volonté d'effacement, d'anéantissement.

Soudain, Raphaël devenait l'intrus. Alors que c'était lui, la victime d'une intrusion.

Il devenait fautif. Alors qu'il était absolument extérieur au péché.

On l'accablait de reproches. Alors que nul n'était plus innocent que lui.

Les mots de mon père, je ne les ai pas entendus, bien sûr. Ils m'ont été rapportés, beaucoup plus tard. Cependant, sans les entendre, je les ai compris. Ils s'exprimaient silencieusement, à travers des regards de dédain, des soupirs d'agacement, des impatiences ostensibles, des mises à l'écart sans tact. Dans les conversations, désormais, l'autre était en trop. On ne s'occupait pas de lui, on ne sollicitait pas son opinion, il dérangeait. Sur les courts de tennis, il n'était plus convié à jouer, on le cantonnait sur sa chaise. Il pouvait arbitrer, si ça lui chantait, mais pas question de disputer un match, ni même d'échanger des balles. Cela, c'était réservé à Cécile et à mon père, elle débutante, lui rouillé mais peu importait. À la plage, il s'étendait sur la serviette du bout, on l'installait à une extrémité. Au restaurant, il s'asseyait à la place sans vis-à-vis. Au café, on l'envoyait régler les consommations au comptoir.

Moi, je faisais mine de ne pas remarquer les manigances, les manœuvres. Toutefois, j'éprouvais un discret sentiment de honte devant ces affronts minuscules, ces vexations répétées. Et je me sentais une solidarité avec le reprouvé. Du coup, j'entretenais des bribes de dialogue, je proposais des parties de tennis qu'il refusait poliment, je tentais de plaisanter, bien conscient que mes plaisanteries tombaient presque toutes à plat.

C'était affreux. Tellement embarrassant.

Il fallait qu'il se passe quelque chose.

52

Le garçon s'est assis près de moi, dans une boîte de nuit où Agathe m'avait entraîné.

Le genre de lieu ouvert uniquement pendant les mois d'été, où l'on passait les tubes du moment et les chansons ringardes des années quatre-vingt, où il demeurait des boules à facettes accrochées au plafond et des barres où de jeunes filles se balançaient, ridiculement langoureuses.

Vous connaissez le principe, il est immuable : la jeunesse en vacances s'y retrouve, elle se mélange à la jeunesse locale, dans un ballet curieux et pathétique. Chacun se flaire, se jauge, se méprise. Les autochtones brocardent, entre eux, les touristes recouverts de coups de soleil et de tenues tape-à-l'œil. Les « étrangers » estiment que tout provincial équivaut à un plouc. Mais, à la fin, un même abandon les précipite les uns contre les autres et un même désir de ne pas finir la nuit tout seul les rapproche.

J'étais perdu dans des observations ethnologiques lorsqu'il s'est donc assis près de moi. Il m'a dit, hurlant sur la musique : « Je m'appelle Jérémy. » Je lui ai serré la main en lui confiant mon prénom en retour.

Je ne me suis pas étonné de sa familiarité. Après tout – et, là encore, c'est une règle d'éternité – dans une boîte de nuit, on frôle en permanence des inconnus, on partage une intimité très brève avec des gens qu'on ne reverra jamais, ou dont on ne se souvient pas le plus souvent lorsqu'on les croise à nouveau, subrepticement, une heure plus tard. Donc, celui-là ou un autre.

Il a demandé : « Tu es tout seul ? » J'ai montré Agathe, d'un geste du bras qui tenait mon verre : « Je suis avec la fille qui danse là-bas. La fille en noir et blanc. » Il a enchaîné : « Elle est jolie. » Je crois. À ce moment-là, je ne faisais pas vraiment attention à lui, et je ne m'attendais pas à ce qu'il enclenche une conversation. Je n'ai rien répliqué. Ça tombait bien : c'était une remarque sans réplique.

Après, je ne sais plus très bien.

Il a dû y avoir d'autres mots, des verres de vodka, des cigarettes échangées, le va-et-vient d'Agathe (« tu pourrais venir, t'es pas drôle, tu me laisses toute seule, bon j'y retourne »), d'autres verres, des mots encore, des silences aussi, l'ivresse qui monte, la tête qui tourne, la musique qui joue trop fort, les années quatre-vingt qui puent leur nostalgie, Agathe à nouveau (« t'es con vraiment, on s'amuse, tu me présentes pas ?, j'y vais, celle-là je l'adore »), des rires idiots, des regards plissés, l'éclat hypnotique de la boule à facettes, la tête renversée sur le canapé qui sentait le vomi et la sueur, l'envie irrépressible de prendre l'air, d'échapper à la fumée, au vacarme, à la houle, à l'agitation frénétique des danseurs.

À quatre heures du matin, je me suis retrouvé sur le parking de la discothèque. Jérémy m'embrassait en caressant frénétiquement mon entrejambe et je me laissais faire.

Voilà. Il venait de se passer quelque chose.

53

Cette nuit-là, je ne suis pas rentré.
Cette nuit-là, j'ai couché chez Jérémy. Avec lui.

Je n'avais jamais fait ça, avant. Coucher avec un garçon.

Mais je savais que ça m'arriverait.

Pourtant, je ne me sentais pas du tout homosexuel. Je ne me connaissais aucune attirance particulière pour ceux de mon sexe. Et plus que tout, j'adorais le corps féminin. Sauf que ça me paraissait un passage obligé. Comme mentir à ses parents, voler dans un supermarché, fumer un joint, conduire son scooter sans casque, exploser son forfait de téléphone, sécher les cours. Toutes ces transgressions dérisoires, sans réelle gravité, mais qui ont une saveur, celle de l'interdit précisément.

J'ai aimé ça. Coucher avec un garçon.

Ça ne m'a pas paru compliqué. Je dirais même que ça m'a paru naturel. L'ivresse aidant, les corps se sont trouvés, les peaux se sont plu, les gestes ont été faciles, ils étaient pourtant tout neufs me concernant, je n'ai pas eu de mal à les inventer. Seuls les baisers ont été un embarras : j'ai été surpris par le contact avec des joues rugueuses, une moustache naissante, je n'étais habitué qu'à la douceur, au satin.

Le plaisir est advenu, le sperme sur les ventres ; nous avons sombré dans le sommeil juste après. Quand je me suis finalement réveillé, il était midi, j'étais couché sur le dos, mon bras droit barrait la poitrine de Jérémy (dit-on poitrail pour un garçon ? torse ?), les draps avaient roulé en boule au pied du lit.

Il n'y a pas eu de gêne dans l'échange des premiers mots. Ils suintaient tant de fatigue, étaient nimbés de tellement de résidus d'alcool. Il n'y avait pas de place pour un inconfort, ou des remords.

Cependant, très vite, j'ai pris la mesure de la situation : j'étais parti sans avoir prévenu Agathe et j'avais découché. Au mieux, j'étais en train de susciter l'inquiétude, voire l'angoisse. Au pire, je risquais les foudres. J'ai eu droit à un tir groupé.

D'abord, le soulagement de mon père quand il a entendu ma voix dans le combiné du téléphone (imprévu, désarmant, chez cet homme dénué du moindre instinct paternel). Puis ses récriminations, des phrases d'où j'ai extrait les termes « irresponsable » et « il faut qu'on parle » (plus logiques, plus prévisibles, ces phrases-là).

Ensuite, la colère presque hystérique d'Agathe, où il était question d'humiliation, et qui s'est démultipliée sous forme d'insultes et d'injures (parmi lesquelles j'ai retenu un légitime « tu n'es qu'un salaud »), avant que le bip-bip d'un portable raccroché violemment ne se fasse entendre.

Ce jour-là, donc, j'ai perdu Agathe et engagé le combat final avec mon père.

54

Peut-être mon récit exige-t-il quelques précisions. Puisque j'ai choisi de dire toute la vérité.

Précisément, la vérité, j'ai commencé par la cacher. Il était presque deux heures de l'après-midi lorsque j'ai finalement regagné la maison. Mon père m'y attendait de pied ferme. Je ne lui ai pas annoncé que j'avais passé la nuit avec Jérémy. J'ai remplacé ce prénom par celui d'Agathe : sur le moment, cela m'a semblé plus simple.

N'allez pas croire que j'avais honte. La honte est un sentiment qui m'est plutôt étranger. Et de quoi aurais-je dû avoir honte ? Simplement, je répugnais à fournir des détails sur ma conduite et n'envisageais pas de livrer un morceau de mon intimité, de céder le moindre pouce sur ce terrain-là. Si j'ai utilisé Agathe, c'est parce qu'elle avait déjà été dévoilée : elle ne relevait plus de la sphère du secret. Et puis, l'information principale, c'était ma désertion nocturne, pas nécessairement ses motifs.

Pour être parfaitement franc, m'attendant aux

reproches de mon géniteur, j'ai cherché à en amoindrir la portée en conférant à mon escapade une tonalité sexuelle qui ne pouvait pas totalement lui déplaire. Du reste, j'ai perçu dans son œil un éclat égrillard qui signifiait : « Je t'engueule parce que je suis tenu de le faire mais, au fond, je t'approuve : à ta place, j'aurais fait la même chose. » Et d'ailleurs, probablement avait-il fait la même chose à mon âge. Ou même avant.

Tout s'est déroulé comme prévu : il ne m'a pas condamné pour mes ébats, il m'a vilipendé pour ma défection. La règle était simple, elle avait été maintes fois rappelée : j'étais autorisé à découcher mais j'avais l'obligation de prévenir. Si je ne prévenais pas, alors toutes les spéculations étaient possibles, toutes les craintes étaient permises. J'en suis convenu, bafouillant de vagues excuses, qui manquaient singulièrement de conviction.

Tout aurait dû s'arrêter là. Toutefois, mon père a cru bon d'en remettre une couche et de m'adresser une de ses leçons de morale que j'exécrais. Ainsi que je l'ai signalé, il a pointé ma présumée « irresponsabilité » et exigé que nous ayons une « vraie conversation ». Si j'avais été malin, ou moins bagarreur, j'aurais acquiescé et joué le jeu d'un faux dialogue. Mon humeur était tout autre : j'ai refusé son jugement, le qualifiant de « hâtif » (un adjectif qui n'appartenait pas à mon vocabulaire pourtant) et j'ai expliqué que je ne me voyais pas avoir une « conversation » avec quelqu'un qui, tout au long de son existence, s'était montré « si peu exemplaire ».

« Si peu exemplaire. » Mon père est demeuré

bouche bée. Touché là où ça faisait mal. Je remportais ma première victoire depuis longtemps. Maintenant qu'il était blessé, je n'allais pas m'arrêter là. Il faudrait bien qu'à la première occasion, je l'achève. J'en ai donc gardé sous le pied.

55

Et puis quoi ?
Après ?

Ah oui, après, il y a eu le retour d'Agathe. Elle s'était « calmée ». Elle avait « beaucoup réfléchi ». Elle regrettait de « s'être emportée », même si elle « continuait de penser » que je m'étais « mal comporté ». Elle ne « m'en voulait plus ». Et plus je l'écoutais tenter une réconciliation, et plus je mesurais à quel point sa tentative était vaine. C'était du sable entre les doigts. À la fin, il ne reste rien, que quelques grains qui nous irritent la paume. La séparation officielle s'est donc produite. Elle m'a valu de nouvelles fulminations que j'ai accueillies avec une indifférence dont je ne suis pas fier après coup. Car enfin, elle était bien jolie, Agathe, et, pour sûr, dans l'histoire, c'était moi, le salaud.

Je n'ai pas revu Jérémy tout de suite.

Nous nous étions certes échangé nos numéros de téléphone, mais aucun de nous ne songeait sérieusement à rappeler l'autre. À ce stade, ce qui était advenu entre nous n'était rien d'autre qu'une étreinte vouée à rester sans lendemain. Ce n'était qu'un peu de sueur et de sperme au bout d'une nuit ivre, pas plus.

Du coup, il s'est produit un ralentissement du temps. Comme une rémission dans les maladies mortelles. Comme une accalmie avant le déferlement des bourrasques (une tempête, une fois, avait causé des dégâts considérables parce qu'une digue avait lâché ; juste avant il y avait eu ce silence, un silence épais, dense, trompeur).

Je me souviens d'être allé traîner sur le port, face aux tours médiévales. On annonçait un concert en plein air pour le soir même, où j'ai vaguement considéré de me rendre avant de renoncer finalement, par paresse.

J'ai repéré par hasard, dans une boutique, une petite table ronde et deux chaises en fer-blanc et pensé qu'elles auraient fait très bien dans la véranda, que ma mère les aurait probablement achetées. J'ai rapidement chassé cette pensée.

J'ai envisagé d'aller passer quelques heures dans l'île. Néanmoins, la nostalgie qui s'est aussitôt emparée de moi – ce deuil impossible de la jeunesse, le désarroi face aux années perdues, sentiments curieux quand on a dix-huit ans – m'a fait reculer.

Arpentant le front de mer, j'ai aperçu quelques vieillards devisant sur des bancs, à l'ombre de tamaris. Aux abords des pavillons, une fillette réclamant une glace à son jeune papa s'est encastrée dans mes jambes. J'ai observé également un adolescent lisant *Les Métamorphoses* d'Ovide, seul, face à la mer. Le genre à aimer Chateaubriand. Il a relevé la tête sur mon passage et m'a fait penser instantanément à Jérémy : un air de ne pas y toucher, de ne rien demander et des façons d'enfant pervers. J'ai souri.

Je me suis laissé gagner par l'oisiveté, sans culpabilité.

Et puis, sans prévenir, le souvenir de l'adultère consommé entre Cécile et mon père m'est revenu comme une nausée. J'ai cessé de sourire.

56

La situation s'aggravait. L'impatience et la frénésie gagnaient.

Au point qu'il a fallu parler. Me mettre – officiellement – au courant.

Mon père a tiré prétexte de la remarque glaçante que je lui avais adressée la veille pour décider d'engager une discussion à propos de son mode de vie.

D'abord, il a dit : « C'est vrai, je n'ai pas été un père parfait. » Et moi, j'ai eu envie de lui hurler : « Tu as été l'imperfection même. Jamais présent. Jamais aimant. Toujours imbuvable. Et cruel au point de laisser se consumer une femme, ma mère. » Néanmoins, il était trop tôt pour ouvrir les hostilités.

Il a dit : « Tu dois faire un effort aussi pour me comprendre. J'ai un métier qui exige beaucoup. Et c'est quand même ce métier qui t'a permis de vivre dans le confort. » Son troc était obscène : de l'argent à la place de l'affection. Je ne m'occupe pas de toi, ne t'élève pas, ne t'octroie même pas l'aumône d'une tendresse mais en échange, le compte en banque est plein, tu ne manques de rien, tu vis sur un grand pied.

Il a dit : « Tu as toujours eu ce que tu voulais. » Pouvait-il admettre que, si j'avais tant demandé, si j'avais été un enfant pourri, gâté, c'était pour compenser ? Oui, j'ai tout pris puisqu'on ne me donnait rien. Exigé les choses matérielles puisque je n'avais pas accès à l'essentiel, l'amour d'un père.

Il a dit : « Je sais que tu m'en veux, pour ta mère. Mais ce sont des choses qui arrivent fréquemment, des parents qui se séparent. » À cet instant, je tenais une phrase toute prête, une phrase polie depuis des années, répétée des milliers de fois dans ma tête, une phrase d'une grande précision et d'une violence très pure. Je ne l'ai pas prononcée. Cette phrase, c'était : « Certains divorces ressemblent à des homicides. »

Il a dit : « Alors oui, il y a eu des femmes. Mais je suis jeune encore. Pourquoi je devrais m'interdire de vivre ? » J'ai toujours détesté ces questions qui obligent à l'acquiescement, qui ne sont que des affirmations déguisées. Leur caractère péremptoire me fait horreur. J'ai systématiquement envie de les retourner et de les contredire.

Il a dit : « D'accord, je n'ai jamais été très fort pour résister aux femmes mais toi aussi, tu m'as l'air bien parti dans ce domaine. » Cette complicité appuyée exhalait une atroce vulgarité qui m'a arraché un haut-le-cœur. Ma moue l'a fait reculer.

Il a dit : « Ça ne t'a pas échappé que Cécile me plaît. » On y était ! Sauf qu'à la seconde où le prénom a été jeté en pâture, comme la conclusion inévitable d'un long raisonnement, l'aboutissement logique d'une argumentation livrée sous forme de confession intime, j'ai tourné les talons. Cette volte-face ne l'a nullement découragé. Il a poursuivi, s'adressant à mon dos fuyant : « Tu ne me croiras pas mais, cette fois, ce n'est pas comme les autres fois. » J'ai grimpé l'escalier et rejoint ma chambre en prenant soin de fermer bruyamment la porte derrière moi.

57

Je me suis étendu sur mon lit, sur le dos, les bras en croix, la nuque plongée dans l'oreiller. La belle chaleur de juillet entrait par la fenêtre ouverte et s'en allait inonder le parquet. Il n'y avait pas un souffle de vent : les branches du noyer étaient parfaitement immobiles. Au loin, j'entendais des cris d'enfant, et peut-être le rebond amorti des balles de tennis sur les courts. Je savais qu'il y avait, sur le côté de mon lit, le petit coffre contenant les photos et je m'efforçais de ne pas y songer.

De même que je m'efforçais de ne pas repenser aux mots de mon père, à cette tentative de rapprochement qui me paraissait avant tout une réécriture insoutenable de l'histoire. Voulais-je que ma colère retombe ou, au contraire, avais-je besoin de l'entretenir ? En tout cas, elle ne passait pas. Comme une arête de poisson coincée dans la gorge. Il aurait fallu vomir pour l'expulser.

En réalité, j'étais troublé par la mise en danger à laquelle mon père avait consenti. Certes, il l'avait habillée d'oripeaux affreux mais, enfin, il s'était livré un peu, s'était offert, avait confessé son amour pour Cécile.

Car il s'agissait bien d'amour. Un amour inattendu, déroutant mais suffisamment important pour qu'il estime devoir s'en ouvrir à moi.

Bien sûr, il escomptait une approbation, un soutien. À défaut, il se serait contenté de ma neutralité. La vérité, c'est qu'il tentait de désarmer mon éventuelle hostilité.

Et c'est à cela que j'ai compris que ce qui l'unissait à Cécile n'était pas négligeable. Jamais par le passé, il ne s'était préoccupé de mon opinion. Jamais il n'avait jugé utile de m'associer à ses aventures. Jamais il ne s'était soucié de la manière dont je les recevais. Qu'il renonce soudain à cet égoïsme si puissant était de nature à me désarmer.

Voilà, j'étais troublé par sa quête d'une connivence, et par son accès de sincérité, et par les sentiments qui l'animaient.

Avec le recul, je me demande si ce n'est pas cette sincérité qui l'a condamné. Je m'étais accoutumé à ses incartades, ses passades, ses conquêtes d'un jour ou d'une semaine. Depuis le temps ! Mais qu'il y ait une femme, soudain, qui importe, une à laquelle il s'attache, cela m'a semblé une blessure supplémentaire infligée à la mémoire de ma mère.

Je me suis finalement levé de mon lit et dirigé vers le coffre. Les photos étaient à leur place. Elles montraient une morte dont j'organisais la résistance.

58

Un jour, peu de temps avant la fin, ils ont failli se faire coincer.

Les amants délinquants.

On devrait toujours éteindre son téléphone portable. Ou, à tout le moins, surveiller les messages compromettants. Cécile n'a pas pris cette précaution élémentaire.

Elle se trouvait sous la douche lorsque la vibration d'un texto qui arrive s'est fait entendre sur le carrelage de la paillasse de la cuisine. Raphaël avalait à ce moment-là un grand verre d'eau fraîche, debout devant l'évier. Son regard a été aussitôt attiré.

Jamais en aucune circonstance il n'avait lu les messages d'un téléphone qui n'était pas le sien, et encore moins de celui de sa femme. Question d'élégance. Résidu d'une bonne éducation. Répugnance à pénétrer l'intimité d'autrui.

Enfant, il n'avait pas falsifié ses bulletins de notes, pas imité la signature de son père, pas allégé le porte-monnaie de sa mère. Lycéen, il n'avait pas copié sur son voisin, il ne s'était jamais abstenu de se présenter à ses cours sachant pertinemment qu'il serait incapable d'inventer la mort de sa grand-mère ou de mimer une angine. À sa première fiancée, il avait annoncé qu'il était puceau au lieu de revendiquer de nombreux exploits sexuels. Dans son métier, il était méticuleux et honnête. Ne cherchant pas à tromper son monde, soucieux de précision et de vérité. Un type bien ou un abruti, un homme droit ou un psychorigide, selon les points de vue.

Et puis, il estimait que chacun, même le plus proche, même la personne avec qui on partageait le plus, avait le droit à un territoire inviolable, une zone de sécurité impénétrable. Raphaël avait l'esprit démodé des gentlemen.

Pourtant, ce jour-là, sans qu'il sache expliquer pourquoi, il n'avait pu s'empêcher de jeter un coup d'œil vers l'écran qui venait de s'allumer, là, à un mètre de lui à peine. Et la curiosité avait été la plus forte. Une curiosité qu'en d'autres circonstances il aurait qualifiée de malsaine et condamnée sans détour. Était-elle tout simplement l'effet d'une prémonition, d'un mauvais pressentiment ?

Mais à l'instar des apprentis fraudeurs, ceux pour qui l'incivilité n'est pas une pratique courante, il n'a pas songé à ne pas se faire prendre. En se saisissant du téléphone, en appuyant sur la touche « lire », il n'a pas songé qu'il signait son acte. Il a foncé tête baissée sans réfléchir.

Le message émanait de mon père, habilement enregistré dans le répertoire sous sa seule initiale. Il disait : « Tu me manques. »

Lorsque Cécile est finalement sortie de sa douche, il s'est approché d'elle avec la ferme intention de lui demander une explication. D'humeur badine, et forcément déconnectée de la situation, elle a déposé un baiser sur sa bouche avant qu'il ait eu le temps de le faire. Le sourire de son épouse l'a définitivement réduit au silence.

L'affaire en est restée là. La lâcheté, parfois, provoque des dégâts irréversibles.

59

Mais elle, a-t-elle compris qu'il avait commis une effraction ?

Elle a vraisemblablement remarqué que le message avait été lu. Il lui aurait fallu être inattentive pour ne pas le remarquer.

Pourtant, elle a agi comme si elle n'avait rien vu. Il y a sans doute eu un court moment de panique, une sueur froide le long de son échine, un frisson irrépressible, un affolement des paupières, mais elle a vite repris le dessus. Après avoir vacillé, elle a recouvré son équilibre, son aplomb. Au point qu'il n'aurait même pas été en mesure d'affirmer qu'elle avait effectivement vacillé.

Elle a pensé : « Je ne dois rien laisser paraître. Le plus difficile consistait à entrer dans la trahison. Désormais, il n'est plus temps pour les états d'âme. » Elle a assumé la mystification.

La différence, évidemment, tenait dans la possible prise de conscience par son époux de cette mystification. C'était une différence énorme. À partir de cet instant, elle n'était plus la seule à mentir : lui aussi jouait la comédie.

Ils se sont regardés, ces deux-là, les yeux dans les yeux, en sachant qu'ils se mentaient, qu'ils détenaient l'un et l'autre un secret, pas dupes, mais pas capables encore de s'affronter, pas capables d'en revenir à la vérité.

En fait, la vérité, pour Raphaël, n'était pas pleinement établie.

Qui était l'individu à l'initiale ? Pouvait-il être certain qu'il s'agissait d'un homme ? Mais quand on n'a rien à cacher, on écrit les prénoms en entier, on ne se contente pas d'une initiale. Et ce « tu me manques » ? Écrit-on ces mots sans éprouver un sentiment fort pour la personne à qui on les adresse ? À qui avait-il déjà dit « tu me manques », sinon à Cécile, autrefois, à sa femme ?

Les a-t-il ruminés, ces mots qui en disaient trop sans en dire assez ? Qui avaient le parfum de la faute mais n'étaient pas suffisants pour une condamnation. Les a-t-il répétés en silence, jusqu'à la nausée ? Ou a-t-il préféré les évacuer, dès lors qu'il n'avait pas réussi à les agiter sous le nez de son épouse ?

Ils sont devenus un caillou dans une chaussure : ça n'empêche pas de marcher mais ça fait mal.

Ils ont semé un doute.

Il a senti qu'ils pouvaient lui revenir à tout moment. Comme un boomerang.

60

À mon père, Cécile n'a rien avoué.

Elle a dû estimer qu'il était inutile de compliquer la situation.

Lui, inconscient du danger – et quand bien même en aurait-il été conscient, cela l'aurait-il stoppé ? –, se montrait de plus en plus impatient. De plus en plus pressant. Un mélange de tendresse et de brusquerie.

Et elle – curieusement – ne refrénait plus ses ardeurs. Je répète à dessein : « curieusement », parce qu'il me semble qu'une pression pareille est de nature à effaroucher, à faire peser une angoisse. Il faut croire que Cécile aimait être bousculée. Plus tard, elle a expliqué que la frénésie de mon père lui avait plu parce qu'elle la changeait de l'ordinaire. On sait depuis *Madame Bovary* les drames que peut provoquer le désir d'échapper à une existence ordinaire. Mais moi, je n'avais pas lu Flaubert.

Ainsi, j'ignorais les ravages engendrés par l'ennui, et la volonté de s'en extraire. Les catastrophes nées de la simple envie de s'extirper d'un destin prévisible, même si ce destin n'est pas défavorable.

Car la vie de Cécile n'était pas malheureuse, elle l'a d'ailleurs elle-même qualifiée de « routine heureuse ». À la fin, elle a tiré un trait sur le bonheur pour ne se souvenir que de la routine. Et elle en a eu assez de cette routine.

Mon père a alors préconisé une solution simple : qu'elle quitte son mari.

À ce moment-là, et seulement à ce moment-là, elle s'est braquée. Il était trop tôt. Il s'agissait d'une décision prématurée. Ils se connaissaient depuis deux semaines à peine.

Il s'est, dans la foulée, pour profiter de l'effet de surprise et accentuer encore l'idée même de son romantisme échevelé, livré à un chantage odieux : « Alors, c'est que tu ne m'aimes pas assez ! Moi, je t'aime assez pour tout quitter. » Elle a rétorqué : « Mais qui aurais-tu à quitter ? » Il paraît qu'il n'a pas pensé à me nommer.

Pour le reste, elle n'avait pas faux : le jeu était singulièrement déséquilibré. Il le savait pertinemment mais ça ne l'empêchait pas de pousser ses pions. La passion constituait une excuse parfaite aux carnages. Cécile a persisté dans sa réticence. Il a dit : « Je n'insiste pas. » Ce qui signifiait qu'il ne tarderait pas à revenir à la charge. Il l'a embrassée, elle lui a rendu son baiser après une légère hésitation.

Voulait-il cette femme parce qu'il ne pouvait pas l'avoir ?

Énoncé autrement, cela donne : l'aurait-il voulue autant si elle avait été disponible ?

61

J'ai rappelé le jeune homme de la nuit.

J'ai dit : « C'est moi. » Il m'a reconnu tout de suite, je n'ai pas eu à décliner mon identité. Pourtant, il n'avait pas eu le temps de fixer le son de ma voix et n'attendait pas mon coup de téléphone, mais bon, quelquefois il se fabrique des connivences invisibles.

Il a proposé qu'on se rejoigne dans un café sur le port. J'ai accepté aussitôt. J'attendais cette proposition. Et c'était insolite, biscornu, cette appétence, quand même, puisque nous n'étions pas programmés pour nous revoir.

Je suis arrivé un peu en avance. Sur la jetée, un couple s'enlaçait. On aurait juré qu'ils ne pouvaient pas se séparer, ces deux-là. Je me suis demandé s'il existait des personnes inséparables.

Et Jérémy s'est pointé. Je l'ai vu venir de loin. Tandis qu'il s'approchait, je l'ai observé. Au fond, c'était la première fois. Il avait les cheveux qui lui mangeaient les joues, un tee-shirt trop grand, déchiré au col, l'allure d'un Kurt Cobain égaré dans un film de Gus Van Sant. Il essayait d'avoir un air dégagé et, cependant, je percevais une manière de fébrilité, de fragilité.

Il s'est installé face à moi, sans me serrer la main – ç'aurait été d'un cérémonieux déplacé –, sans m'embrasser non plus – un geste trop connoté, probablement –, mais il m'a jeté un regard qui en disait long : un regard qui brillait, plein de malice et d'embarras.

Sans l'exprimer, il m'a fait comprendre qu'il n'avait rien oublié de nos amours passagères. Moi non plus, je n'avais rien oublié. J'étais encore imprégné de la douceur et de la déconcertante facilité de l'instant.

Il n'a pas parlé d'Agathe, je n'ai pas eu besoin de lui apprendre que ma muflerie l'avait conduite à me signifier mon congé. De toute façon, ce n'était pas son affaire. Il s'en fichait, il avait bien raison. Et moi aussi, à ma façon, je m'en fichais. Nous avions dix-huit ans : rien n'était vraiment grave et tout était possible.

Je ne sais plus très bien ce que nous nous sommes dit, cet après-midi-là, dans la chaleur écrasante. La timidité s'est, en tout cas, dissoute très rapidement pour laisser la place à une familiarité. Et à un désir, informulé mais patent, de recommencer nos étreintes.

Quelques heures plus tard, nous roulions à nouveau dans les draps.

Ai-je fait cela par esprit de transgression, de provocation ? Cette question m'a été posée. Non, j'ai fait cela pour me distraire, me divertir. Un point, c'est tout.

Il y a ceci, tout de même : nous nous sommes tous entêtés. Mon père, Cécile, Jérémy, moi. Aucun de nous n'a levé le pied. Aucun n'a renoncé à son désir. Aujourd'hui, je sais qu'un simple relâchement aurait pu nous épargner la tragédie.

62

Il faudrait toujours rester sur ses gardes.

Et ne pas oublier que ceux qui veulent nous nuire sont peu traversés par les états d'âme.

Pour avoir négligé ces règles simples, j'ai persévéré dans l'engrenage infernal.

Une femme nous a repérés, Jérémy et moi. Une voisine. Je n'ai toujours pas compris ce dont elle avait été le témoin exactement. Toujours est-il qu'elle n'a pas hésité une seconde avant de me « dénoncer » à mon père. Je suis persuadé que ses paroles ont été sirupeuses, prononcées avec la main sur le cœur, et le seul souci de rendre service. Les protestations de bonne foi sont ce qui ressemble le plus aux lettres anonymes qui parviennent dans les commissariats et les centres des impôts. Cette femme a dû dire : « Je ne sais pas si je dois vous en parler, après tout c'est pas mes oignons, et puis je sais ce que c'est que d'avoir des enfants, et qu'on ne peut pas toujours les empêcher de faire des bêtises, j'en ai élevé trois vous savez, je vous ai dit que l'aîné est gendarme ?, mais tout de même là c'est grave, je ne peux pas faire comme si je n'avais rien vu, vous me le reprocheriez plus tard, c'est très embarrassant, enfin ce sont des choses qui existent je sais bien mais il vaut mieux les corriger tant qu'il est encore temps, bref votre fils était, comment vous expliquer, enfin il était avec un garçon, un garçon de son âge, et il faisait des choses qu'on fait d'habitude avec les filles, il l'embrassait, sur la bouche, oui oui sur la bouche, et ils se tenaient par la taille, là-bas, un peu plus loin, près des tours, je les ai vus comme je vous vois, il paraît que c'est un lieu connu pour ce genre de choses, le soir il vient des hommes, j'ai rien contre, n'allez pas croire, les gens se débrouillent comme ils peuvent, et puis il y a tellement de solitude, tellement, mais pour des garçons de cet âge ce n'est pas raisonnable, c'est comme de prendre des drogues, il faut leur interdire, évidemment je n'ai pas de leçon à vous donner, je ne me permettrais pas. » Des mots dans ce genre. Et mon père, il a dû laisser dire, incapable de répondre, furieux au-dedans, furieux à cause des révélations, furieux parce qu'une quasi-inconnue les lui débitait, s'efforçant de canaliser sa stupeur et sa colère, s'obligeant à ne pas perdre son calme, à ne pas offrir une victoire facile à la mégère et ruminant déjà les questions qu'il me poserait dans le but de vérifier les ignobles allégations, ruminant les reproches qui suivraient immanquablement, puisqu'il ne faisait aucun doute dans son esprit que j'étais coupable et coupable n'était pas un terme illégitime dans la mesure où un tel comportement était, selon lui, fautif sans circonstances atténuantes possibles. Il se contenait avant d'exploser, avant de dire son fait à ce fils renégat qui décidément ne lui apportait que des déconvenues, qui avait été trop couvé par sa mère et après ça vous faisait des lopettes, il ne fallait pas chercher plus loin, qui s'ingéniait à le contrarier, et bon sang il aurait dû le cornaquer davantage, lui mettre la bride sur le cou, au lieu de quoi il l'avait laissé libre d'agir à sa guise et on voyait le résultat. Il se contenait mais tout le passé remontait à la surface et l'heure de régler les comptes allait sonner. Il a dû sourire à la dénonciatrice, d'un sourire très appuyé, qui signifiait : « Si vous n'y voyez pas d'inconvénient, tout cela, ce sont mes affaires. » Et tourner les talons devant la vieille mi-satisfaite mi-offusquée, trop heureuse de son sale coup et vaguement contrite qu'il n'ait pas causé davantage de dégâts immédiats.

63

Lui : C'est vrai que tu flirtes avec un garçon ?
Moi : Plus personne ne dit « flirter ».
Lui : Ne joue pas sur les mots, tu veux...
Moi : C'est toi qui dis ça ? Le grand avocat ? Le plaideur « hors pair » ?

Face à la violence de la surprise, jouer la désinvolture et la diversion. Gagner du temps. Repousser le moment où il faudra entrer dans la danse.

Lui : On t'a vu avec un garçon je te dis.
Moi : Tu me fais surveiller maintenant ?
Lui : Donc tu confirmes ?
Moi : C'est un interrogatoire ? On est au poste ?

Devant l'insistance, insinuer l'intrusion insupportable dans l'intime, la persécution. Placer l'autre dans la position de l'inquisiteur. Sachant néanmoins que ça ne sert à rien. Puisque sa détermination ne faiblira pas sous les coups.

Lui : Est-ce que tu confirmes ?
Moi : Je peux plus traîner avec qui je veux ?

Lui : Il ne s'agissait pas exactement d'une balade, si j'en crois ce qu'on me raconte.
Moi : De toute façon, ce que je fais, et avec qui je le fais, je crois pas que ça te regarde.

Opposer son libre arbitre. Dire son refus de rendre des comptes lorsqu'on a passé l'âge. Clamer ce qui n'est pas négociable, pas divisible.

Lui : Je suis ton père.
Moi : Ah bon ? Depuis quand ?

Ne pas hésiter à être offensant, blessant. Se servir de la méchanceté comme d'une arme. Tenter de faire admettre que cette méchanceté n'est pas illégitime. En vain.

Lui : Tu es décidément très mal élevé.
Moi : La faute à qui ?
Lui : Ta mère t'a toujours tout passé.
Moi : Ne dis pas un mot contre elle. Pas un, tu m'entends ?
Lui : Bien sûr, elle est une sainte et je suis un salaud, c'est bien connu.

Laisser planer un silence entre nous, épais, haineux. Un silence où s'entassent les années de défiance, d'indifférence, de solitude, d'aigreur, de rancune. Et mesurer que ces sentiments sont réciproques.

Lui : C'est qui, ce type ?
Moi : Tu vas me lâcher, oui ?

Lui : Tu me parles sur un autre ton, je te prie ! Son nom ?

Moi : Qu'est-ce que ça peut te faire ?

Enchaîner les questions affolées, les réponses à l'emporte-pièce, telles des balles sifflant au-dessus de nos têtes.

Lui : Mon fils est pédé ?

Moi : Ça changerait quelque chose ? Tu t'intéresserais davantage à moi ?

Et quand le mot est lâché, le mot fatidique, passer à la contre-attaque, mettre le père face à sa propre intolérance. Et à toutes ses négligences.

Lui : Ça me dégoûte...

Moi : Pourquoi tu dis : « ça me dégoûte » alors que ce que tu penses, ce que tu penses au fond, c'est : « Tu me dégoûtes » ?

Lui : C'est contre nature. C'est obscène.

Moi : Tu veux que je te dise ce que je trouve vraiment obscène ? C'est de laisser sa femme mourir de chagrin.

Voir venir la gifle. Ne rien faire pour l'éviter. L'accueillir dans la raideur, sans broncher, sans vaciller. Sentir le rouge à ma joue. Ne pas porter la main à ma joue. Planter mon regard dans celui de l'assaillant. Et laisser s'installer le silence, à nouveau. Irrémédiable.

64

Au cours des quarante-huit heures qui ont suivi, le temps a viré à l'orage.

Quelquefois, la météo se cale sur nos humeurs.

Moi, j'allais marcher sur le front de mer. La plage était presque déserte. Sous les rafales de pluie, il ne restait que des téméraires, accrochés à leurs parapluies brinquebalés, des coureurs, le visage cinglé, les cuisses bleues enserrées dans des boxers, des chiens qui s'ébrouaient et qu'on aurait crus abandonnés. Derrière les fenêtres des villas, on avait rallumé les lumières en plein après-midi, et sûrement même les chauffages d'appoint. Un hiver fugace s'était abattu sur la ville. Le toit d'ardoise du casino était luisant. Je songeais que ma mère aurait aimé ce temps-là.

Je m'abritais dans un café qui sentait l'humidité, la promiscuité. On jouait aux cartes, au 4-21, on parlait fort, on mangeait des crêpes au chocolat chaud, on attendait que ça passe. On se plaignait, bien sûr, pour aussitôt admettre que, « tout de même, jusque-là, il avait fait très beau ». On espérait que ça ne durerait pas. À la télévision, ils annonçaient le retour du soleil pour le surlendemain, il n'y avait pas à s'inquiéter. Pour la fête des cerfs-volants, le ciel serait à nouveau dégagé. D'ailleurs, « vous avez remarqué, pour la fête des cerfs-volants, il fait toujours beau ».

Je rejoignais Jérémy aussi. Je ne lui avais rien rapporté de la conversation animée entre mon père et moi. À quoi bon ? Ma bouche s'habituait au rugueux de ses joues, à la forme de sa verge. Ses bras me faisaient du bien. Ils m'apportaient une clémence bienvenue et une vengeance qui m'a semblé juste.

En fait, je rentrais le moins possible à la maison. Je n'avais pas tellement envie de croiser mon père. Nous nous étions tout dit. Nous n'avions plus rien à nous dire.

J'ai sérieusement envisagé de faire ma valise et de rentrer seul à Paris. Ou bien d'aller retrouver des amis, dans le Sud. Il suffisait de prendre un train. J'aurais pu aller voir ailleurs si j'y étais. J'aurais dû le faire. Si je m'étais écouté, rien ne serait advenu. À croire que ça existe, le destin, cette fatalité à laquelle on n'échappe pas. Je n'avais jamais accordé le moindre crédit à ces conneries, mais je suis bien obligé de reconnaître que nous n'avons pas coupé au mauvais sort. Qu'une force étrange nous en a empêchés.

Nous approchions de la date du départ de Cécile et Raphaël. À la fin de la semaine, leur location prendrait fin. J'ai pensé : nous n'y parviendrons pas sans encombre. Ma prémonition n'était pas fausse.

65

C'est arrivé le jeudi, en fin d'après-midi.

Alors que le soleil était revenu. À l'heure la plus douce.

Tandis qu'ils remontaient de la plage, mon père, qui se tenait sur le perron (faisait-il le guet ?), a interpellé Raphaël et Cécile et les a invités à venir prendre un rafraîchissement dans le jardin. Les deux ont accepté de bon cœur, mais pas pour les mêmes raisons. Pour ma part, j'ai fait irruption quelques minutes après (un hasard), bien décidé à ne pas m'éterniser, prêt à ressortir, à aller traîner du côté du port, des tours, de l'agitation. Cette irruption n'est pas apparue à mon père comme une effraction, plutôt comme une bénédiction : j'aurais dû me méfier. En réalité, je n'ai pas mis longtemps à comprendre que je lui apportais une solution à son problème : comment être seul avec Cécile. Dès qu'il m'a aperçu, il s'est montré excessivement chaleureux et m'a expliqué qu'on m'attendait du côté des courts de tennis, ajoutant qu'on se plaignait de la rareté de mes apparitions. D'abord, je n'ai pas compris son discours mais tout est devenu limpide lorsqu'il a ajouté : « Pourquoi tu n'irais pas taper quelques balles avec Raphaël ? » La manœuvre d'éloignement était grossière. Pourtant, elle n'a pas sauté aux yeux de sa victime principale. Comme je ne réagissais pas, mon père a manifesté une insistance embarrassante. Le petit mari, de son côté, persistait à ne se rendre compte de rien. Cécile, quant à elle, se tenait en retrait, acquiesçant en silence, implorant en silence. J'ai finalement accédé à leur misérable requête. Je n'avais pas envie, de toute façon, de m'attarder au milieu d'un vaudeville malsain. Pas envie non plus de demeurer dans cette maison où l'atmosphère était irrespirable. Mais, surtout, j'ai senti qu'il y avait une urgence, qui ne tenait pas uniquement à la sensualité, au désir de s'enlacer mais peut-être à la nécessité d'une conversation entre eux, les deux amants, le besoin – peut-être – d'arrêter des décisions. Cette fébrilité m'a affolé. J'ai pensé : si nous ne dételons pas, un incident n'est pas à exclure. J'ai donc entraîné Raphaël avec moi, le prenant par le bras. En refermant la porte derrière moi, je n'étais pas très fier. J'ai aussitôt visualisé l'étreinte fébrile, les baisers voraces, l'impatience étanchée après l'exaspération. J'ai imaginé les corps pressés l'un contre l'autre, comme dans les naufrages. Chemin faisant, j'ai observé le profil de Raphaël. Sur son visage, une innocence très belle et très douloureuse. Une fatigue légère aussi – réminiscence des baignades au plus fort de l'après-midi, sans doute – et joyeuse. Sa distraction m'a causé de la peine. Mon statut de complice m'a fait horreur. C'est à ce moment précis que j'ai pris la résolution de parler.

66

D'abord, j'y suis allé mollement.

Nous étions en train de nous changer dans les vestiaires : je le regardais enfiler son short et sa liquette, tandis que je nouais les lacets de mes baskets. J'ai lancé : « Tu ne trouves pas qu'ils nous ont expédiés, comme on fait avec les enfants ? » Il a souri, sans qu'aucune suspicion ne s'insinue en lui. Il a continué à se préparer. Il a même ajouté : « C'est une bonne idée, cette partie. La plage, ça m'avait ramolli. » Nous avons avancé vers les courts. Une partie s'achevait : nous avions cinq minutes à patienter, nous nous sommes assis sur un banc.

Alors, le dos courbé, le regard en biais, les chaussures raclant la terre battue, j'ai murmuré : « Je ne devrais pas dire ça. »

Le coup était parti, impossible de revenir en arrière.

J'ai ajouté : « Je crois qu'il se passe quelque chose entre Cécile et mon père. »

Le profil de Raphaël s'est aussitôt figé. Je me souviens très bien de cette seconde de l'immobilisation, de la pétrification. Soudain, en un éclair, tout ce qu'il avait refusé de voir, tout ce qu'il avait dénié, tout ce à quoi il avait évité de donner un sens, une logique, tout s'emboîtait parfaitement, tout devenait terriblement évident. L'instant d'avant, il ne soupçonnait rien. Désormais, il savait tout.

Voilà, en une seconde, il est passé de l'ignorance parfaite à la connaissance la plus absolue. Pourtant, une telle prise de conscience ne peut pas s'opérer en un temps si court. Cela vient de plus loin. Cela vient des profondeurs. Ce qui prend une seconde, c'est de sortir la tête de l'eau, de dépasser la surface. Mais combien de temps dure la course qui conduit à la surface ? Raphaël avait-il au préalable accompli des efforts invisibles ou bien est-il remonté tout seul, naturellement – l'inverse d'une noyade ? Ce qui est certain, c'est qu'il n'a pas vu la lumière s'approcher, l'obscurité se dissiper peu à peu, le glauque devenir moins glauque, une pâleur se dessiner. Les fonds sont restés sombres jusqu'au dernier moment (avait-il gardé les yeux fermés ?). En tout cas, quand le jour lui est apparu, quand l'horizon a surgi, il n'a pas été aveuglé, il n'a pas eu besoin d'accommoder le regard, tout a été très clair.

Il s'est tourné vers moi. Dans ses yeux brillait un éclat que je n'avais jamais ne serait-ce qu'entraperçu. Il n'a pas prononcé un mot, et ce mutisme était vertigineux. Il s'est levé tel un automate. Il a pris la direction de la maison.

Je revois distinctement sa silhouette qui s'éloigne.

Moi, je suis resté assis sur le banc. La partie se terminait.

67

Pendant ce temps, dans la maison, derrière les murs, les amants avaient commencé à s'aimer.

Les vêtements épars, jonchant le sol, donnaient une mesure de l'impétuosité.

Il avait fallu se presser l'un contre l'autre, puisque le temps était compté, puisque l'ennemi était aux portes et pouvait faire sa réapparition à l'improviste. On n'était pas à l'abri d'une déconvenue : des courts de tennis non disponibles, une averse de pluie, un épuisement venu trop vite. Cela n'empêchait pas de s'aimer mais donnait aux ébats une tournure dangereuse. Malgré tout, ils se sentaient à l'abri, ces deux-là. Leur plan marchait, ça ne faisait aucun doute : ils avaient devant eux une heure de tranquillité quasi certaine. Et, de toute façon, la culpabilité les avait lâchés depuis longtemps.

Après l'amour, il serait toujours temps de parler, de faire des choix. Dans l'immédiat, ce qui importait, c'était le toucher des peaux, le chevauchement des corps, cette sensualité sans retenue, sans pudeur.

Oui, bien sûr qu'après, une fois le plaisir accompli et la tension retombée, ils auraient une conversation.

L'échéance approchait : il convenait de décider désormais. C'était, du reste, fort simple : se quitter, se séparer définitivement, s'en retourner à la vie d'avant, comme si de rien n'était, comme s'il n'y avait pas eu le rapprochement inéluctable, la défaite des résistances, les heures affamées ou bien continuer, continuer ensemble, persister dans la frénésie mais alors il faudrait liquider l'époux gênant, lui annoncer la mauvaise nouvelle, avec de la diplomatie mais sans fioritures, avec de l'élégance mais sans faiblir, lui expliquer que c'en était fini des années partagées, lui signifier sa défaite, le renvoyer à la dislocation, à la solitude.

En attendant, on se dévorait, on se couvrait de morsures. La chair tendre et soyeuse de la jeune femme se frottait à celle, dure, expérimentée de l'homme implacable et ça fabriquait des étincelles, des murmures, des soupirs, des cris peut-être, tout ce fracas des embrassements, des accouplements.

J'écris cela qui m'a été rapporté après coup par Cécile elle-même, quand il est devenu indispensable de ne plus rien dissimuler.

J'écris cela pour qu'on imagine le spectacle auquel Raphaël, qui marchait tel un zombie en direction de la villa, avec une raideur mécanique et une détermination terrible, allait se trouver confronté.

68

Il est entré dans la maison atlantique.

D'abord, il n'y a vu personne.

A-t-il aperçu le scintillement des eaux par la fenêtre ouverte ? Le miroitement de la mer a-t-il attiré son regard ?

Très vite, en tout cas, il a remarqué les vêtements retirés à la hâte, jetés à travers le séjour, dispersés au hasard sur le parquet. Il a reconnu une jupe. Ce sont les détails qui vous crucifient. Toujours.

En cet instant, il ne s'est pas brisé. Il aurait pu céder, plier les genoux, éclater en sanglots. Ou être traversé par la foudre, sentir le long de sa colonne vertébrale une secousse affreuse et s'écrouler finalement. Mais non, il a tenu bon. Sa résolution n'a pas vacillé, la force qui le portait ne lui a pas fait défaut.

Il a entendu la rumeur du plaisir derrière la porte de la chambre. Et puis des rires. Des rires légers, corrompus, abjects. Il s'est alors approché de la chambre adultère, ne s'efforçant pas d'amortir le bruit de son pas et poussé la porte : il a vu les amants nus et imbriqués.

Ceux-ci ont sursauté aussitôt, se sont disjoints, terrassés par la stupeur et la honte. Car, enfin, ce devait être une forme de honte. L'humiliation d'avoir été démasqués.

Il les a regardés longtemps sans prononcer un mot. Son visage était dénué de la moindre expression. Et les coupables, interloqués et craintifs, n'ont pas articulé une parole non plus. Il y a eu ça, ce moment de parfait silence.

Et puis, il a quitté l'embrasure de la porte pour se diriger vers la cuisine.

Pendant ce temps, un rapide conciliabule a eu lieu dans la chambre. Mon père a été dépêché pour entamer un dialogue, une explication. Des négociations ? Il a enfilé un caleçon à la hâte et s'est retrouvé au milieu du séjour tandis que le mari défait y revenait.

Les deux hommes se sont fait face.

Mon père a-t-il repéré le couteau dont la lame brillait dans la main droite de Raphaël ? A-t-il vu le coup venir ?

Ou plutôt les coups.

Huit.

Huit coups portés à l'abdomen.

Sans faiblir.

Il est tombé, tête la première. Sous son ventre, sur le parquet impeccable, une flaque de sang s'est formée.

Cécile, alertée par la chute du corps, a fait son apparition, recouverte d'un drap. Elle n'a pas réussi à réprimer un cri.

Elle a fixé son mari, qui paraissait hagard et presque soulagé. Il a planté ses yeux sur elle, longtemps. Il a souri, d'un sourire misérable. Et puis, calmement, il a porté la lame du couteau à son cou et s'est tranché la gorge. Il s'est affaissé lentement. En touchant terre, sa carcasse a produit un bruit sourd.

Cette fois, Cécile n'a pas crié. Elle ne devait plus avoir assez de douleur en réserve.

69

Je suis resté assis sur le banc, devant les courts de tennis désormais déserts, les yeux dans le vide, jusqu'à ce que le réel me rattrape, jusqu'à ce que j'entende retentir la sirène d'une voiture de police.

J'ai compris tout de suite que cela provenait de chez nous.

Je me suis levé et j'ai parcouru à mon tour les deux cents mètres séparant les courts de la villa. Sans précipitation. À quoi bon ?

En approchant, je me suis arrimé à l'éclat répétitif de la lumière bleue d'une ambulance.

J'ai senti l'affolement, l'agitation. Quelques badauds s'étaient agglutinés, un homme en uniforme gueulait des directives dans un talkie-walkie et commandait aux importuns de se tenir à distance.

Quand on m'a repéré, j'ai perçu très nettement l'accablement dans les regards, une commisération. Cet apitoiement a ouvert le passage devant moi, comme les eaux devant Moïse. J'étais l'enfant supplicié, éprouvé à nouveau, celui sur qui la malédiction s'abattait, un saint sacrifié.

Je crois qu'un gendarme m'a parlé mais je ne l'ai pas écouté. Les sons me parvenaient dans un étrange bourdonnement. Je me rappelle seulement qu'il m'a demandé de ne pas avancer davantage : il fallait évacuer les civières. J'ai été surpris par le pluriel.

Quelques secondes plus tard, j'ai vu deux corps emballés dans des housses, trimbalés par des ambulanciers, passer devant moi.

Je me suis souvenu du cadavre de ma mère emporté dans des conditions analogues. L'histoire se répétait.

Cécile était recroquevillée sur une chaise, au loin, dans la véranda, enveloppée dans une couverture. Une jeune femme en bleu paraissait tenter de la calmer et l'interroger en même temps. Elle m'a semblé misérable.

Une fois la voie libérée, je me suis avancé vers elle. Je suppose que j'étais dans l'hébétude. On m'expliquait comment les choses étaient arrivées et je n'y prêtais pas vraiment attention. Au fond, peu importait le comment. Deux hommes étaient morts, cela seul comptait.

Parvenu à la hauteur de Cécile, j'ai attrapé son regard, plein de larmes. Pleurait-elle sur les vies perdues ? Sur la sienne, dorénavant fichue ? Sur cet immense gâchis ? Était-elle déjà anéantie par les remords, la culpabilité ? S'en voulait-elle ? Repassait-elle le film des dernières années, des dernières semaines, des dernières heures ? Et qui regrettait-elle le plus ? Le mari ou l'amant ? J'ai posé ma main sur son épaule, dans un geste protecteur. Je me demande encore pourquoi.

J'ai jeté un coup d'œil en direction de la plage. Des enfants couraient sur le sable, comme d'habitude, surveillés distraitement par des mères en pleine discussion. Mais la plupart des gens étaient remontés :

c'était l'heure de l'apéritif, du rosé dans les verres, du saucisson découpé en tranches dans les bols. L'été résistait. La mer n'était pas dérangée. De toute façon, c'est toujours elle qui gagne à la fin, la mer.

Je songeais que deux hommes étaient morts et que je n'y étais pas pour rien.

70

Le lendemain, j'ai été interrogé par la police.

On m'a notamment demandé pour quelle raison Raphaël avait subitement quitté les courts de tennis dans le but d'aller tuer l'amant de sa femme.

J'ai répondu que je n'en savais rien et on m'a cru.

Les orphelins ne peuvent pas être animés de mauvaises intentions. Et on ne discute pas leur chagrin. On a même salué mon courage, ma dignité dans l'épreuve. On m'a, de surcroît, respecté pour ne jamais avoir dit le moindre mal de l'assassin de mon père.

Il faut concéder qu'il m'impressionnait un peu, ce grand jeune homme distrait, chez qui je n'aurais pas soupçonné une telle vigueur, une telle virulence. Et que son fantôme commençait déjà à me hanter. Tout de même, j'étais celui qui avait armé son bras.

Bref, je m'en suis tiré à bon compte. Après tout, une injustice vient parfois en corriger une autre.

Cécile a sollicité sa mutation dans le Sud et l'a obtenue facilement. Elle enseigne toujours. On me dit qu'elle s'est remariée, qu'elle a un enfant. La vie continue.

Moi, j'ai hérité de la maison atlantique, qu'on appelle aussi dans le coin « la maison aux cadavres ». On m'a conseillé de la vendre et je m'y suis refusé. Elle m'appartient encore aujourd'hui. Je m'y rends parfois, hors saison.

Je suis comme ma mère désormais : j'aime la ville quand elle est déserte, que les touristes l'ont abandonnée et qu'une nappe de brume s'abat sur les rues, les cafés, quand le sable colle aux chaussures.

Je vais traîner du côté des courts de tennis, balayés par le vent, recouverts de feuilles mortes, je m'assois sur le banc, je peux y rester des heures.

À la fin de l'après-midi, lorsque la lumière faiblit, je m'installe dans la véranda pour contempler la plage. Le soir venu, j'entends quelquefois, rapportée par la mer, une complainte.

10/18, une marque d'Univers Poche,
est un éditeur qui s'engage pour
la préservation de son environnement
et qui utilise du papier fabriqué à partir
de bois provenant de forêts gérées
de manière responsable.

Impression réalisée par

La Flèche (Sarthe), 3007696

Dépôt légal : janvier 2015
X06476/01

Imprimé en France